Juntos na escuridão

Juntos na escuridão

Depressão, dúvida e fé na história de sete cristãos

DIANA GRUVER

Traduzido por Claudia Santana Martins

MUNDO CRISTÃO

Os textos bíblicos foram extraídos da *Nova Versão Transformadora* (NVT), da Tyndale House Foundation, salvo a seguinte indicação: *Almeida Revista e Corrigida* (RC), da Sociedade Bíblica do Brasil.

Edição
Daniel Faria

Revisão
Natália Custódio

Produção
Felipe Marques

Diagramação e adaptação de capa
Marina Timm

Colaboração
Ana Luiza Ferreira

CIP-Brasil. Catalogação na publicação
Sindicato Nacional dos Editores de Livros, RJ

G941j

Gruver, Diana, 1990-
Juntos na escuridão : depressão, dúvida e fé na história de sete cristãos / Diana Gruver ; tradução Claudia Santana Martins. - 1. ed. - São Paulo : Mundo Cristão, 2023.
232 p.

Tradução de: Companions in the darkness : seven saints who struggled with depression and doubt
ISBN 978-65-5988-201-4

11. Depressão mental - Aspectos religiosos - Cristianismo. 2. Pessoas depressivas - Vida espiritual. I. Martins, Claudia Santana. II. Título.

23-82402 CDD: 248.8625
CDU: 27-584

Meri Gleice Rodrigues de Souza - Bibliotecária - CRB-7/6439

Categoria: Espiritualidade
1ª edição: julho de 2023

Publicado no Brasil com todos os direitos reservados por:

Editora Mundo Cristão
Rua Antônio Carlos Tacconi, 69
São Paulo, SP, Brasil
CEP 04810-020
Telefone: (11) 2127-4147
www.mundocristao.com.br

Para Lydia
Que você sempre encontre luz nos lugares escuros

Sumário

Prefácio

Chuck DeGroat

Você não está sozinho. Essas foram as palavras que ecoaram em meu ser ao ler este livro de Diana, *Juntos na escuridão.*

Como aluno de seminário e jovem pastor em meados da década de 1990, estudei sobre vários heróis da fé. Entretanto, não me lembro de ouvir muito sobre melancolia, desânimo ou depressão.

Só quando mergulhei em meu próprio abismo descobri a necessidade de companhia. Fui à procura de histórias, mas não encontrei nenhuma obra como esta — redigida por uma narradora familiarizada ela mesma com o abismo e estudante das histórias incontadas daqueles a quem chamamos heróis.

Vivemos em um mundo que nos bombardeia com imagens de sucesso, perfeição, realização, relevância e poder. Infelizmente, a igreja contemporânea muitas vezes não é diferente. Eu mesmo me vi, tanto como pastor quanto como paroquiano, andando ao redor de uma igreja enquanto me perguntava: "Existe alguém como eu aqui? Alguém que conheça a noite mais escura?".

Ao longo dos anos, atuei como mentor e conselheiro de pastores — pessoas boas, trabalhadoras, que acreditavam que, para serem bons pastores, teriam de manter a calma em todos os momentos — que sufocam as emoções mais intensas, ocultam as dores mais profundas. Tragicamente, deparei-me com casamentos rompidos, falhas morais e até suicídio entre aqueles que tentam permanecer fortes, superar os obstáculos, manter as aparências. O custo de sufocar a dor é maior que o de atravessar a estrada inóspita rumo à liberdade.

Diana é uma sábia guia para aqueles de nós que anseiam por um mapa para a jornada e uma companheira para aqueles que anseiam por graça na jornada. Ela conhece o terreno e estudou as mulheres e homens por trás das obras clássicas de teologia e espiritualidade que tanto prezamos.

Diana escreve: "Precisamos de gente que possa nos apoiar em nossas lutas contra a depressão. Precisamos de gente que possa nos gritar lá da frente. A depressão é um inimigo feroz, dizem, mas não precisa sair vitoriosa. Não precisa ter a última palavra. Nossa utilidade não chegou ao fim. Nosso Deus não nos abandonou. As águas são profundas, mas o fundo é firme".

Quem é essa "gente que possa nos apoiar"? Martinho Lutero e Madre Teresa, Charles Spurgeon e Martin Luther King Jr., entre outros santos e sábios que nos chamaram às alturas, mas que, intimamente, conheceram as profundezas da depressão. E embora Diana não tenha pretensões a ser psicóloga, ela oferece uma sabedoria que é psicologicamente sólida e, ao mesmo tempo, teologicamente rica e historicamente penetrante.

Por fim, Diana nos oferece histórias profundas e cativantes, mas não para por aí. Chama-nos a encontrar os outros em meio às histórias deles. Chama-nos a dividir os fardos. Ela escreve: "Você também pode ser um guia para os outros em meio às trevas, um companheiro na noite mais profunda".

Tornei-me um guia melhor lendo e saboreando este livro. Você também se tornará.

Introdução

Definindo a escuridão

Eu não tinha uma palavra para defini-la até o último ano da faculdade. Em retrospectiva, percebo que começou antes disso, em ciclos e temporadas em que me descrevia como "desanimada", "triste", "em dificuldades", "pra baixo". Minha amiga me convenceu a falar com um orientador psicológico no centro de saúde de nossa faculdade, e lá me disseram a palavra: depressão.

Senti um estranhamento no início, como se aquilo não pudesse se referir a mim; não podia ser aquilo que eu estava sentindo. Mas fazia tanto tempo que não me sentia emocionalmente estável, emocionalmente "pra cima", que não me lembrava mais de como era me sentir normal. Eu não tinha mais energia para lutar com os pensamentos em minha cabeça. Estava presa em meio à neblina — confusa, oprimida, sufocada.

Por breves momentos a neblina se erguia o suficiente para que eu sorvesse o ar fresco — e percebesse quão mais clara e fácil era a vida sem sua presença. Nos dias em que ela permanecia, eu chorava até adormecer, o corpo enrolado em posição fetal, em autoproteção, suplicando a Deus que me escutasse, que me fizesse ficar bem.

Com o passar do tempo, comecei a perguntar se ele me ouvia. Minhas lágrimas secaram e os sentimentos se foram. Quando veio o entorpecimento, eu ficava acordada, exausta, mas incapaz de descansar, desesperada para que aquelas lágrimas voltassem, porque aí eu saberia que ainda estava viva e que não era apenas a sombra de um ser humano. Ansiei por desaparecer, por cair em um sono ininterrupto. Ansiei para que tudo aquilo fosse embora.

Durante toda essa temporada, senti-me fraca, como se devesse ser capaz de lutar contra as trevas que me invadiam e cercavam tudo. Senti-me envergonhada, como se estivesse fazendo algo errado. Acima de tudo, senti medo, à medida que a depressão intensificava cada vez mais a pressão sobre minha sanidade. Medo dos pensamentos que me corroíam a mente. Medo de quão fundo eu poderia mergulhar no poço. Medo de meu desejo de cessar de existir.

Sobrevivi. Com a ajuda de terapia, medicamentos, um bom sistema de apoio e a graça de Deus, a luz despontou lentamente. A vida se tornou gradualmente mais fácil, os dias menos intimidantes. Minha mente era capaz de se concentrar e funcionar de novo. Consegui dirigir minha atenção afetuosa a outras pessoas. O sono não era mais fugidio. A sensação de alegria mais uma vez passou a habitar meu coração.

Senti como se fosse uma felizarda — como se quase não houvesse sobrevivido a meu contato com as trevas da depressão. Senti gratidão por estar viva, por ter voltado à luz. Mas não sabia o que fazer com minha experiência. Não sabia o que fazer com as marcas que ela havia deixado em mim. Não sabia o que faria se aquilo voltasse.

E acabou voltando, dessa vez enquanto eu morava no exterior, trabalhando como administradora e diretora de uma casa cheia de crianças adotadas. Mais uma vez vieram as trevas, as lágrimas, a exaustão. Privada de minha rede habitual de apoio, precisei novamente da ajuda de medicação enquanto me arrastava em busca da luz.

Meses depois, estável mas ainda na última série de antidepressivos, vi-me em uma sala de aula de um seminário rabiscando nomes da história da igreja nas margens dos cadernos. Com a batalha da depressão ainda fresca na mente, reconheci algo nas digressões de meu professor sobre diversas figuras históricas. Esses irmãos e irmãs eram como amigos sussurrando para mim de séculos atrás. Eles também haviam mergulhado nas trevas. Também haviam sofrido com a depressão.

Assim, lancei-me em uma jornada para conhecê-los e a outros como eles, e aprender as lições que poderiam nos transmitir sobre as trevas.

O que é depressão?

Aqueles de nós que sofrem de depressão lhe dão muitos nomes. A neblina. O cão negro. As trevas. O espírito maldito. Fazemos rodeios, recorrendo a metáforas, e pintamos quadros da dor com nossas palavras. A palavra *depressão* é clínica demais; a lista de sintomas, estéril demais.

Orientações referentes a diagnósticos não conseguem descrever a sensação de que o coração parou de bater, foi-lhe arrancado do peito, enquanto o corpo continua a se mover mecanicamente, entorpecido, sem vida. Sou um fantoche. Um fantasma. Pairo invisível, sem sentir nada, observando os vivos rirem e amarem. Nenhuma definição simples explica essa sensação de vacuidade, de isolamento, de dor vazia.

Alguns acham que depressão é tristeza. Mas é mais profundo do que isso. A sensação de tristeza claramente definida e atribuível seria um alívio. Em vez disso, sinto-me dominada por sentimentos demais, inundada por uma aflição vaga e corrosiva. Choro e me contorço sob seu peso, e então, em uma reviravolta mais assustadora, os sentimentos são tão intensos que não sinto nada. Fico paralisada e entorpecida. Eu daria boas-vindas à tristeza, pois com ela saberia que ainda estou viva. Da forma como é, sou uma morta-viva.

Os profissionais de medicina, contudo, não trabalham com descrições de imagens mentais. Eles expressam a depressão em uma lista de sintomas, como descreve o manual de diagnóstico, o *DSM-5*:

- estado de ânimo deprimido;
- perda de interesse ou prazer em coisas ou atividades que antes apreciava;
- apetite aumentado ou diminuído, ou perda ou ganho de peso inexplicado;
- fadiga ou perda de energia;
- perturbações do sono — insônia ou dormir mais do que o habitual;
- desaceleração perceptível do fluxo de pensamentos e movimentos físicos, ou agitação e inquietação perceptíveis;
- dficuldade de se concentrar e tomar decisões;
- sensação de falta de valor ou culpa excessiva;
- pensamentos ou planos de suicídio, ou pensamentos recorrentes de morte.[1]

Para ser diagnosticada como depressiva, uma pessoa precisa ter pelo menos cinco desses sintomas por um período de duas semanas, e entre os cinco deve constar "estado de ânimo deprimido" ou "perda de interesse e prazer em atividades que antes apreciava". Os sintomas devem também causar perturbação e interferir na capacidade de a pessoa funcionar no trabalho ou em ambientes sociais.

Embora a angústia provocada pela depressão possa fazer com que essa forma de definição pareça fria, definições específicas pelo menos nos lembram de que a depressão é uma enfermidade real. Apresenta sintomas e critérios de diagnóstico, e requer a intervenção de profissionais de saúde médica e mental. Pode exigir medicação e terapia. Pode ser mortal. Não é algo "só na sua cabeça". Não é algo que se possa vencer buscando "força de vontade". É algo a ser levado a sério.

As muitas faces da depressão

Ler sintomas como uma lista de itens obscurece a realidade de que a depressão tem muitos rostos.

É a aluna que falta à aula para ficar deitada indiferente em um quarto escuro, a mente confusa demais para prestar atenção na aula, o coração oprimido demais para produzir discursos para outro ser humano.

É o pai enlutado cuja dor corrói sua capacidade de pensar, viver, descansar, curar-se. Cujo corpo dói com o mero ato de respirar. Que não consegue reunir energia para voltar a trabalhar — ou até para se levantar da cama. O pai cuja dor não o leva a lugar algum a não ser mais fundo em um irremediável poço de desespero.

É o jovem profissional que continua a lutar contra a apatia e as noites insones. Aquele que executa os gestos de vestir-se, comer, ir a reuniões, sentar-se na cadeira, mas cuja vida foi drenada de todo o vigor.

É o homem sem esperanças que está em pé sobre uma ponte, um bilhete em casa para a esposa, cada uma de suas células ansiando pelo fim da dor.

A depressão passa por mudanças e desloca os critérios que usamos para diagnosticá-la. Pode surgir a partir de um acúmulo de circunstâncias dolorosas. Pode vir sem avisar. Alguns de nós continuam saindo da cama e indo à escola ou ao trabalho. Outros ficam deitados imóveis no escuro. Os sintomas físicos abatem alguns de nós mais do que os outros, sobretudo em culturas especialmente marcadas pela estigmatização. A depressão difere em severidade e na extensão de tempo de sua gélida permanência nos ossos.

As pessoas que você conhecerá nestas páginas refletem essa complexa variação. Algumas continuaram o trabalho a duras penas, enquanto outras foram incapacitadas. Algumas experimentaram outras doenças ou sintomas físicos junto com os psicológicos. Algumas pareciam ter uma tendência familiar à depressão, o que sugere um componente genético. Para algumas, a depressão foi desencadeada por trauma, solidão e dificuldades. Outras descobriram que surgia com poucos avisos.

Não é meu desejo diagnosticar cada uma dessas pessoas com o que agora chamamos de depressão clínica. Seria historicamente irresponsável e tolo tentar fazer isso de tão longe, em termos de cultura e tempo. Todavia, encontro em cada uma dessas mulheres e homens um conjunto de sintomas, uma coleção de metáforas, uma descrição da mente e do coração notavelmente semelhantes à experiência que hoje chamamos de depressão. Não preciso de um diagnóstico para encontrar companhia em sua história ou absorver sua sabedoria.

Depressão: uma breve história

O problema da depressão não é unicamente moderno. Ao longo dos séculos, nós apenas atribuímos a ela diferentes causas, a enfrentamos com diferentes curas e nos referimos a ela com diferentes nomes. As pessoas cuja história você lerá nestas páginas, por exemplo, podem não ter chamado seu problema de "depressão" como eu chamo. Para alguns era "melancolia" ou "um desequilíbrio de humores". Outros nunca lhe deram nome. Mas em todos esses casos a descrição básica permaneceu a mesma.

A compreensão da depressão no Ocidente mudou conforme a cultura e nossa abordagem da doença como um todo. Ao longo desse desenvolvimento, vejo padrões cíclicos de pensamento: Será que a depressão é uma doença, uma fonte de inspiração ou um defeito pessoal? Sempre em meio a esses debates e teorias cambiantes estão, é claro, as próprias pessoas que sofrem. Sua enfermidade (ou maldição, ou fonte de genialidade, dependendo da opinião em questão) é discutida por médicos e filósofos enquanto elas lutam para recuperar o desejo de viver.

Os médicos do mundo greco-romano antigo viam a depressão como uma doença do corpo. Naquela época, e por muitos séculos depois, acreditava-se que o corpo reagia a um equilíbrio de quatro líquidos essenciais, os quatro humores. Atribuía-se a depressão a um excesso de um deles, a bílis negra. (Essa teoria dos humores continuou a influenciar o entendimento e tratamento da depressão até o século 17, pelo menos.) Alguém podia ter uma tendência natural a esse desequilíbrio, mas este também podia ser desencadeado por fatores externos, ambientais.

Médicos como Hipócrates, Rufus de Éfeso e Galeno desenvolveram tratamentos que se voltavam à causa física e incluíam dieta e medicamentos orais para ajustar os níveis da bílis negra. Eles também incentivavam tratamentos que miravam fatores ambientais e combatiam as aflições do paciente; tratamentos como viagens, massagens, exercícios e atividades para distrair.[2] Essa antiga abordagem à depressão é similar ao que entendemos ser eficaz hoje em dia, combinando o tratamento do corpo desequilibrado (ainda que agora falemos da química do cérebro e não da bílis negra) com ajustes no estilo de vida. Infelizmente, não foi sempre esse o caso nos milênios que se seguiram.

Enquanto os médicos greco-romanos propunham curas, o filósofo grego Aristóteles retratava a depressão sob uma luz relativamente menos negativa. A melancolia não era apenas uma doença, ele afirmava. Podia ser a matriz da inspiração. O temperamento melancólico, ou o temperamento que dava às pessoas uma propensão inata à depressão, também as inclinava à grandeza, à criatividade e à genialidade. As pessoas desse temperamento corriam maior risco de insanidade, mas estavam também equipadas a se destacar em campos como a filosofia, a poesia e a arte.[3]

A ideia de Aristóteles do gênio melancólico ressurgiria séculos depois na Renascença e novamente no período Romântico. Durante esses períodos, acreditou-se outra vez que a melancolia era parte necessária da genialidade, criatividade e profunda compreensão do mundo. A depressão se tornou valorizada e "na moda", a ponto de ser imitada. Aristocratas e aspirantes a gênios imitavam o abatimento daqueles que genuinamente sofriam, e descobriram que gostavam daquele costume.[4] Fico imaginando uma pessoa gravemente deprimida observando os outros se deleitarem com o que entendiam ser seu estado, sem perceber o desespero interior que o acompanhava.

É claro que houve também períodos em que a depressão não era considerada em tão elevada estima. Em vez de ser vista como uma doença do corpo, era vista como uma doença da alma. Assim, era considerada um pecado, ou a influência de demônios. Em alguns casos, essa visão brotava de uma lógica inspirada biblicamente. Agostinho, por exemplo, afirmava que a razão era o que distinguia a humanidade dos animais, de modo que a perda da razão na melancolia deveria, com efeito, ser um sinal da punição de Deus.[5] E alguns líderes da igreja apontaram o suicídio de Judas (Mt 27) e a insanidade de Nabucodonosor (Dn 4) como prova de que a doença mental era um sinal de pecado e de juízo divino.[6]

Um dos "pecados mortais" ou "capitais", identificado pelos padres e madres do deserto e pelas primeiras comunidades monásticas, assemelhava-se à depressão. Em sua forma original, a acídia, que agora chamamos de preguiça, era mais do que meramente a apatia e ociosidade que viemos a associar a ela hoje em dia. Foi ligada inicialmente a outro "pecado", *tristitia*, que trazia consigo conotações de aflição e tristeza. À medida que a definição de acídia se desenvolveu, tomou uma forma semelhante à depressão, marcada por exaustão, tristeza, inquietação, apatia, lentidão, desespero e indiferença.[7] Não podemos simplesmente igualar a acídia ao que agora chamamos depressão, mas elas guardam semelhanças fortes o bastante para que seja possível que alguns dos primeiros monges que foram repreendidos devido ao pecado da acídia estivessem, na verdade, sofrendo de depressão.

A condenação continuou. Na Inquisição, alguns enfrentaram multas e prisão por seu "pecado" de depressão.[8] Muito depois, atribuiu-se a depressão a uma sociedade decadente, comodista e em declínio moral — e à participação das pessoas em sua degradação.[9]

Embora a terminologia possa não ser a mesma, muitos atualmente ainda veem a depressão como um pecado e questionam a salvação da pessoa deprimida, aludem a uma falta de maturidade espiritual ou se perguntam que pecado renitente poderia ter causado tal desalento. De modo similar aos cristãos de outras eras, repreendem as pessoas deprimidas ou simplesmente se afastam delas para não se contaminarem. Ainda que as pessoas deprimidas não sejam jogadas na prisão, muitas delas ainda experimentam ostracismo, vergonha e culpa na igreja. A situação não mudou muito.

As definições da igreja não eram a única fonte de abuso para o deprimido. O século 18 carrega a vergonha de ter sido o palco maior dos hospícios de horrores, como o abominável Bedlam em Londres.[10] Ai da pessoa internada como louca por seus parentes e trancada como um animal pelo resto de seus dias em uma instituição como essa. E ai da pessoa que era menos intensamente deprimida, mas que se desesperava tentando manter uma sanidade suficiente para evitar ser internada em tais locais. Além da tortura física oferecida como "tratamento", o hospital permitia que visitantes fossem observar os pacientes mentalmente doentes por uma taxa, transformando seus residentes em espetáculo público. Felizmente, as condições desses hospícios melhoraram com o decorrer do tempo em resultado de grandes reformas legais e sociais relacionadas ao cuidado dos mentalmente doentes.

Em meio às abordagens cíclicas à depressão desde os dias de Hipócrates, a compreensão científica do corpo humano se desenvolveu, ampliando nosso entendimento da depressão. Deixamos de atribuir nossas perturbações corporais e mentais a humores desequilibrados. Agora abordamos a depressão em termos de química do cérebro e psicologia. Quando essas duas partes são jogadas uma contra a outra (como alguns fizeram), a tensão sobre o que culpar pela depressão continua. É um transtorno do corpo ou da mente (ou alma)? É causada por genes ou pelas circunstâncias? Resolve-se com antidepressivos ou investigando padrões de pensamento? Quando juntamos a química do cérebro e a psicologia, no entanto, chegamos mais perto de encontrar um meio-termo que trate a depressão tendo em vista a pessoa como um todo, com medicação e terapia atuando conjuntamente, além de sistema de apoio, fé e estilo de vida como fatores importantes de contribuição para o bem-estar.

Em alguns aspectos, avançamos bastante em nossa compreensão da doença mental. Em outros aspectos, ainda estamos nos livrando das atitudes problemáticas de nossos ancestrais. Em outros aspectos ainda, apenas voltamos ao que os antigos nos diziam milênios atrás.

Mas... eles não tomavam antidepressivos

Desde os dias das sangrias e dos manicômios, nosso modo de lidar com a depressão avançou significativamente. Embora ainda tenhamos muito a aprender sobre o complexo funcionamento interno do cérebro, temos acesso a tratamentos para a depressão que podem resultar em alívio para a maioria das pessoas. Uma combinação de medicação e terapia é extremamente eficaz no tratamento da depressão, e algumas mudanças no estilo de vida (como exercícios físicos, por exemplo) podem ser úteis em acréscimo a esses tratamentos.

É nesse ponto que preciso lhe fazer um apelo. Se você ou alguém a quem você ama está lutando contra a depressão

— se os sintomas aqui descritos e as histórias relatadas neste livro lhe parecem familiares —, por favor, busque a ajuda de um profissional. Não sou médica nem terapeuta. Ninguém retratado neste livro é. Não podemos lhe oferecer a ajuda suficiente de que você necessita para se sentir bem. Tudo o que podemos oferecer são as histórias de nossa sobrevivência como companheiros sofredores e irmãos e irmãs em Cristo. Podemos lhe dar conselhos como fazem os amigos hoje em dia, compartilhando experiências de vida, lições que aprendemos, as formas como enfrentamos o problema no dia a dia. Essa sabedoria, essas histórias de sobrevivência, são parte importante da jornada rumo à saúde, mas não substituem o papel do atendimento profissional que você esteja — ou precise estar — recebendo.

A maioria das pessoas neste livro não tinha acesso às ferramentas e recursos de assistência médica mental com que contamos atualmente. Viveram em culturas e épocas que não entendiam os efeitos da depressão sobre o cérebro, não dispunham de profissionais que aplicassem terapias fundamentadas em evidências, e não tinham a opção de tomar medicação psicotrópica. Portanto, as experiências e conselhos expostos nas páginas que se seguem não envolvem remédios ou terapia. Isso não significa que estes não sejam úteis, recomendados e às vezes necessários para recuperar-se da depressão, ou que você não deva recorrer a eles se precisar. Em outras palavras, o fato de esses recursos não estarem presentes não significa que não sejam importantes — especialmente considerando que não estavam sequer disponíveis. Muitas vezes me pergunto como a vida e o legado dessas pessoas seriam diferentes se tivessem tido acesso a tais recursos.

Então, por favor, recolha estas palavras e estas histórias e guarde-as no coração. Deixe que o inspirem e encorajem. Mas não deixe que o impeçam de buscar o cuidado de que necessita.

O papel da fé

A esta altura, muitos começarão a perguntar: "Mas eu sou cristão. Minha fé não desempenha um papel quando estou deprimido?".

Sim. Acredito que a vida de fé desempenhe um papel fundamental. Entretanto, desempenha um papel similar ao que desempenha em outras enfermidades.

Quando um membro da família recebe o diagnóstico de câncer, oramos pela cura. Encontramos consolo nas verdades da Bíblia. Agarramo-nos à esperança do evangelho — uma esperança para além de nossas circunstâncias imediatas. Estamos abertos à graça de Deus que nos fortalece para superar a provação. Estamos cercados pelo apoio de nossa comunidade de fé, amparados por nossa família espiritual. Mas também buscamos bons cuidados médicos. Tomamos a medicação rigorosamente. Vamos às consultas com um profissional e seguimos seus conselhos.

O mesmo acontece com a doença mental. Minha fé me sustenta e estimula em meio às provações da depressão, mas isso não vai contra a importância do bom cuidado médico. E, sim, oro pela cura de Deus, mas também vou ao médico e tomo os remédios fielmente. Prego versículos da Bíblia em minha parede para ver todos os dias, mas também vou às consultas com o terapeuta. Leio a Bíblia, mas também faço exercícios, alimento-me de modo saudável e tento descansar e me cercar de toda a alegria que consigo reunir.

Pessoalmente, duvido que teria sobrevivido às lutas contra a depressão sem a fé em Jesus. Mas isso não me impediu de procurar atendimento médico.

Por que precisamos dessas histórias

Enquanto eu me arrastava nas temporadas de depressão, e à medida que relembrava essas temporadas a partir de uma base mais estável, descobri que as histórias e a presença de outros que vivenciaram a depressão eram inestimáveis. Escuto uma sugestão de algo que reconheço — um comentário, uma metáfora, uma pista que aponta para aquelas marcas deixadas pelas trevas — e concentro nela minha atenção. *Há alguém que sabe,* penso, *alguém que entende. Eles também andaram pelo vale das sombras da depressão.* Há algo nisso que nos aproxima, como companheiros de luta — a batalha que travamos nos une.

Suas histórias me trazem consolo, assegurando-me de que não estou sozinha. Elas me lembram de que não sou a única a trilhar essa estrada, que essa experiência não é desconhecida. A mentira de que "com certeza ninguém jamais sentiu isso" é derrubada pela verdade de que outros, na verdade, sentiram, e sua presença me faz sentir menos isolada. Esses colegas de viagem são meus companheiros na escuridão da noite.

Eles me fornecem sabedoria — conselhos duramente aprendidos sobre como sobreviver. Sobre as lições que aprenderam. Sobre as ferramentas que obtiveram.

Eles me dão esperança — esperança de que este não é o final de minha história, de que também vou sobreviver a isso.

Esperança de que a depressão não terá a última palavra. Escuto suas histórias de sobrevivência e perseverança, e tenho esperança de conseguir ir em frente, continuar lutando, continuar realizando o trabalho árduo para ficar bem.

Isso é verdade no que diz respeito àqueles que conheço hoje em dia. Àqueles com quem consigo conversar e tomar um café, àqueles a quem telefono ou escrevo. É o caso dos líderes com quem me encontro, daqueles que são suficientemente abertos para compartilhar suas lutas. É o caso dos artistas que escrevem canções e poemas, que pintam ou criam filmes baseados em sua experiência. É também verdade em relação àqueles que não estão mais neste mundo, àqueles que, por meio de suas cartas, diários e relatos escritos, nos deixaram o legado de suas histórias.

No entanto, as histórias neste livro não foram escolhidas aleatoriamente. Originam-se de alguns de nossos heróis, daqueles cuja trajetória de vida continuamos narrando muito tempo após sua morte. Isso lhes dá algo especial a oferecer.

Essas histórias de nossos heróis ajudam a romper a culpa e o estigma que cerca a depressão na igreja — solapando mentiras de que estou falhando, de que sou uma "má cristã", de que deveria ser melhor ou de que se eu tivesse mais fé, fosse mais santa ou forte isso não estaria acontecendo comigo. Você consegue imaginar a audácia de aplicar esse princípio aos irmãos e irmãs presentes neste livro? De dizer a Charles Spurgeon que ele deveria ler mais a Bíblia? Ou que David Brainerd deveria orar mais? Ou que Madre Teresa deveria simplesmente escolher a alegria? Encaramos essas pessoas como gigantes da fé, e no entanto elas lutaram contra a depressão. A fé em sua vida não as tornou imunes — e não me tornará imune. Elas nos lembram de que às vezes essas coisas acontecem. Às vezes somos abatidos pela tristeza. Às vezes nosso cérebro adoece tanto quanto nosso corpo. A vida que levaram dá testemunho dessa verdade.

* * *

Desde aquela aula no seminário em que encontrei esses companheiros pela primeira vez, vim a perceber que as histórias que escolhemos contar comunicam algo. Ignorar uma luta como a depressão na vida de pessoas na história da igreja — aquelas de que ainda falamos hoje em dia, aquelas que chamamos de heróis e heroínas — comunica algo. Diz que essas histórias não importam, ou, pior, que devemos nos envergonhar delas.

É por isso que este livro existe. As histórias que você lerá neste livro precisam ser contadas. Precisam ser contadas para que possamos herdar a sabedoria e consolação que aqueles irmãos e irmãs têm a compartilhar. Precisam ser contadas para que encontremos a coragem e liberdade de contar nossa própria história. Precisam ser contadas para que sejamos lembrados de que Deus ainda pode nos usar, de que a depressão não será o epitáfio de nossa vida. Elas são, para mim, modelos do que é seguir Jesus em meio à depressão.

Se você não luta contra a depressão, espero que, nestas páginas, encontre testemunhos de como é essa luta para muitos dos que o cercam. Espero que a humilde "escuta" dessas histórias aumente sua compaixão e consciência de como ajudar seus irmãos e irmãs com depressão.

Se você, como eu, não é estranho à depressão, espero que, ao ler, encontre um "amigo" ao longo do caminho. Alguém cuja experiência você reconheça e com quem possa criar camaradagem. Alguém que possa lhe sussurrar: "Sim, passei por isso. Eu sei como é". Alguém que possa oferecer conselho sobre como sobreviver, como manter a fé. Que elas lhe tragam consolo. Que lhe tragam esperança. Que acendam uma pequena luz em seu caminho pela escuridão.

1
Martinho Lutero

Fuja da solidão — beba, brinque e conte piadas

Uma mancha cor de ébano seguiu-lhe o movimento abrupto de braço sobre a página. As palavras jorraram dele. Tinta negra arremessada contra os pensamentos sombrios, mantendo-os encurralados, alimentando a chama da fé.

E se sua doutrina for falsa e errada? E se todo esse caos der em nada? Tudo o que você desencadeou foi violência e controvérsia.

Os pensamentos giravam ao redor como um cão faminto encurralando a presa, ávido para mergulhar os dentes letalmente na carne macia. Ele os enfrentou com a caneta, rabiscando com ainda mais fúria.

O tormento continuou. Sentia o suor gotejando-lhe no rosto. Sentia-lhe o cheiro azedo. O suor ameaçava pingar sobre a folha da carta ao amigo Filipe enquanto escrevia: "Não quero que se preocupe comigo de modo algum. Em relação à minha pessoa, tudo vai bem, exceto pelo fato de que minha perturbação mental não cessou e a antiga enfermidade de espírito e de fé persiste".[1]

A velha praga voltara. As dúvidas, as perguntas, o medo. As palavras de seu velho mentor ressoaram-lhe na mente. *Olhe para as chagas de Cristo, Martinho. Olhe para o sangue jorrando de seu corpo dilacerado.*

A voz dele ecoou na pequena sala revestida em madeira. "Diabo, minha causa é fundada no evangelho, o evangelho que Deus me deu. Fale com ele sobre isso. Ele me ordenou que escutasse a Cristo".[2]

Fora em nome de Cristo que ele começara. Cristo não o abandonaria.

Mas ali estava ele, trancado nesse exílio, nesse deserto, aninhado nessa montanha com os pássaros.

"Estou aqui sem nada para fazer, como um homem livre entre cativos."[3]

Lançou os olhos pelo Novo Testamento em grego sobre a escrivaninha. Ele não tinha nada para fazer exceto escrever. Nada para fazer exceto lutar com os verbos gregos. Iria traduzir o Novo Testamento. Preencheria o vazio daquela salinha com a Palavra de Deus. Daria a Palavra ao povo em uma língua que o povo pudesse entender.

Apertou a mão contra a barriga sentindo a náusea crescer. O abdômen estava rígido e inflexível. Os ataques não vinham só da mente, mas do corpo também. Será que nenhum dos dois lhe daria trégua?

"Não dormi a noite toda, e ainda não tenho paz. Por favor, ore por mim, pois essa doença vai se tornar insuportável, se continuar como começou."[4]

"Estou ficando lerdo, sem energia e frio em espírito, e me sinto miserável. Hoje faz seis dias que estou constipado."[5]

Talvez morresse ali. Sozinho. Em agonia.

Eles o haviam levado para lá por segurança, e ele havia aceitado voluntariamente, deixando crescer a tonsura no topo da cabeça e a barba. Havia assumido a *persona* de um cavalheiro — Cavalheiro Jorge —, ainda que um estranho cavalheiro, sem dúvida, pois passava muito tempo recolhido em seus aposentos, escrevendo e estudando.

Ao olhar para a cidade lá embaixo, isolado, recluso, ele se perguntava quando aquele exílio teria fim. A segurança se tornara uma prisão.

"Preferiria queimar em brasas vivas a apodrecer aqui sozinho, semivivo, mas ainda não morto."[6]

Cristo, o carrasco: dias sombrios no mosteiro

No momento em que Martinho Lutero se viu isolado no Castelo de Wartburg, ele havia iniciado o movimento religioso que agora conhecemos como Reforma Protestante. Porém nos anos antes da Reforma, antes dos concílios, debates e controvérsias, Martinho Lutero era monge.

Tudo começou em um dia de verão, quando Lutero estava voltando para casa, vindo da Universidade de Erfurt, onde estudava para seguir carreira em Direito. Um temporal o pegou ao ar livre, aterrorizando-o com explosões de trovões e raios. Ele se agachou ao chão, certo de que ia morrer, e fez um voto que mudaria sua vida: "Santa Ana, salva-me e me tornarei monge!". Ele sobreviveu à tempestade e cumpriu o voto. Em algumas semanas, deixou os estudos, vendeu os livros e entrou em um mosteiro agostiniano. Seu pai ficou furioso com aquele "desperdício" de sua educação.

Uma vez no mosteiro, mergulhou na vida religiosa. Depois ele diria: "Fui um bom monge, e cumpri as regras de minha ordem tão rigorosamente que posso dizer que, se alguma vez um monge entrou nos céus pelas práticas monásticas, esse fui eu".[7] Mas ele não estava levando uma vida tranquila de contemplativo. Ao contrário: passava os dias sob a sombra do desespero e do medo, obcecado em levar uma vida santa, paralisado diante do juízo divino. Duvidava constantemente do amor de Deus e não tinha qualquer esperança de salvação. Enquanto esmiuçava seus pecados e acumulava formas extremas de penitência impostas a si mesmo, Lutero estava convencido de que sua alma estava condenada: "Perdi o contato com Cristo o Salvador e Consolador, e fiz dele o carcereiro e carrasco de minha pobre alma".[8]

A primeira vez que Lutero celebrou a missa, temeu que Deus fosse matá-lo com um golpe ali mesmo. Sentindo o corpo ansioso tremer, agarrou-se ao altar para se apoiar. A lenda diz que as mãos dele tremiam tanto que ele quase derramou o vinho eucarístico.

Em meio a esse distúrbio, o amado confessor, mentor e amigo de Lutero, João de Staupitz, deu-lhe uma Bíblia e desviou-lhe os olhos de sua própria indignidade para a figura de Jesus na cruz. Em resposta aos temores paralisantes de Lutero, à culpa e aos sentimentos de nunca estar à altura, à penitência e punição que aplicava em si mesmo, a suas visões de Cristo apenas como um juiz pronto a golpeá-lo, Staupitz lhe deu um refrão claro e retumbante: "Olhe para as chagas de Cristo".

Enquanto Lutero estudava a Bíblia, primeiro como doutorando e depois como professor em Wittenberg, e enquanto continuava a seguir o conselho de Staupitz, sua imagem de Deus começou a mudar. Em vez de um Deus zangado, ávido por julgar, observando dos céus, pronto a matá-lo sob qualquer pretexto, Lutero via Deus como Pai, oferecendo gratuitamente o perdão baseado na fé por meio da graça. Enfrentar o desespero levou-o a uma nova compreensão do evangelho — o Deus que está ao nosso lado, visto em Jesus Cristo na cruz, que tomou sobre si nossa dor e nosso pecado para nos tornar seus filhos. Essa mensagem evangélica reivindicada estava no coração da Reforma Protestante.

Lutero chamou o tumulto interior e a angústia depressiva que experimentava de *anfechtung*. Durante toda a vida, continuou a usar essa palavra para descrever o terror, desespero e medo das crises e provações religiosas. Esses momentos eram batalhas pela fé para ele — batalhas para agarrar-se à verdade de que Deus não o abandonara, de que ele não estava mais sob condenação por causa de Cristo. Eram batalhas para agarrar-se à Palavra de Deus.

O termo de Lutero, *anfechtung*, é muito mais amplo do que o que chamamos depressão atualmente, de modo que não são termos plenamente sinônimos, mas relacionados. Ambos evocam em nós o mesmo redemoinho de pensamentos, o mesmo terror interno. Ambos nos atormentam com questionamentos sobre nosso mérito, sobre nossa culpa, sobre se merecemos ser amados. Ambos podem nos fazer duvidar da bondade de Deus e indagar se podemos perder sua graça.

Assim, em meio à depressão, quando caímos vítimas do tormento da culpa e da vergonha, podemos seguir o conselho de Staupitz também. *Olhe para as chagas de Cristo.* Pois é nelas que vemos a extensão do amor de Deus, o modo invertido pelo qual ele traz beleza e integridade, toda a extensão de sua graça. É aí que somos lembrados da verdade fora de nossos sentimentos — que nada pode nos separar do amor de Deus, nem mesmo a mais profunda depressão. A vida de Lutero nos conta isso: as chagas de Cristo nos guiarão em meio às trevas.

Quando olho para trás agora, percebo que os períodos de depressão solidificaram minha compreensão do evangelho mais do que qualquer outra experiência na vida. Deus foi me encontrar no local onde eu me sentia mais distante dele, e entremeou força a uma mensagem que eu tinha ouvido desde criança. Eu estava desesperada, desamparada e dilacerada. Precisava de algo maior do que minha dor, algo forte o bastante para suportar o peso sufocante dela. Precisava da esperança de que a dor não seria o final da história. Nessas trevas, fui premiada com a mensagem da graça, que contou a história daquele que se aproximou de mim em meu dilaceramento e me ofereceu redenção. O evangelho me dava espaço para "não estar bem", porque esperava que eu chegasse carente. Expressava uma mensagem de um Salvador que não só oferecia salvação para minha alma, mas que prometia também refazer e transformar radicalmente toda a criação, erradicando a aflição e a doença — até a química cerebral defeituosa. Essa esperança era algo em que eu podia confiar como verdade, mesmo enquanto lutava para descobrir em qual de meus pensamentos eu podia confiar. Em meio à minha escuridão, o evangelho se tornou o único lugar firme e estável.

Isso não significa que o foco no evangelho curará a depressão. Não curou a de Lutero, nem mesmo quando sua teologia mudou com a Reforma. A ansiedade e a depressão continuaram a afligi-lo pelo resto da vida, e ele voltava sempre à mensagem da cruz como um antídoto para os sentimentos de impotência e culpa. Mas a depressão se tornou para ele um campo de treinamento. Mais tarde ele diria que não aprendeu sua teologia de uma vez, e que suas "tribulações espirituais" (*anfechtung*) o ajudaram no processo.[9] Ele iniciou como um monge deprimido, devorando as Escrituras em desespero, mas, enquanto "olhava para as chagas de Cristo", uma luz de esperança raiou devagar. As trevas espirituais de um homem deram origem a uma nova compreensão do evangelho, que o transformou e que iria abalar os alicerces da cristandade ocidental.

Início da Reforma e angústia em Wartburg

A teologia em transformação de Lutero se tornou assunto de debate público assim que ele lançou as Noventa e Cinco Teses. (Vale a pena notar que há debates entre intelectuais sobre quão plenamente formada estava a teologia de reforma de Lutero a essa altura.) As Noventa e Cinco Teses foram o resultado acadêmico da preocupação pastoral de Lutero com a venda de indulgências, uma prática que ele julgava estar se transformando em uma fraude que tirava proveito dos leigos. Suas palavras se disseminaram rápida e amplamente devido à recém-inventada prensa tipográfica de Gutenberg, e os resultados foram bem mais explosivos do que provavelmente ele pretendia. Ele queria um debate acadêmico. Em vez disso, recebeu escrutínio público e punição da igreja. Ele queria uma reforma. Em vez disso, estava enfrentando uma ruptura completa com a igreja que amava e à qual havia entregado sua vida.

O que se seguiu foi uma rápida série de concílios — da sua ordem monástica, das autoridades da igreja, das autoridades alemãs — e muitas argumentações redigidas por todos os lados sobre as visões dele. Quando Lutero se recusou a abjurar o que havia escrito ou a recuar em suas posições, o papa o excomungou da igreja.

Tudo culminou na Dieta de Worms, onde Lutero foi colocado diante de líderes políticos e julgado por heresia. Sua vida estava em risco. Ele não teria sido o primeiro rebelde a ser queimado na fogueira por suas visões revolucionárias. Lutero manteve corajosamente sua posição, recusando-se a abjurar a não ser que alguém pudesse provar, a partir das Escrituras, que ele estava errado. O Edito de Worms que se seguiu fez dele um fora da lei, e seus textos foram declarados ilegais. Era um crime oferecer a Lutero comida e abrigo, e ele deveria ser capturado, mesmo que fosse morto no processo.

Foi no caminho de volta para casa depois da Dieta de Worms, à sombra desse Edito, que Lutero foi raptado por amigos, com a ajuda de uma figura política local que o apoiou, o eleitor Frederico, o Sábio, e escondido no Castelo de Wartburg. Ninguém sabia de seu paradeiro. Alguns supuseram que estivesse morto.

Lá ele permaneceu por dez meses. Excomungado da igreja. Fugitivo. Ameaçado de morte. Com um movimento religioso explodindo sob seus cuidados. Tudo dentro de quatro anos desde sua primeira convocação ao debate sobre as Noventa e Cinco Teses. Tudo antes de seu quadragésimo aniversário.

É o bastante para me dar vertigens.

Não admira que Lutero fale de provações emocionais, mentais e espirituais enquanto estava no Castelo de Wartburg. Ele foi atacado por problemas de saúde que lhe causavam agonia física. Estava isolado e sozinho, afastado dos amigos mais próximos durante um período instável, suplicando-lhes que escrevessem, evitando revelar sua localização. Mais uma vez ele enfrentou a *anfechtung* do mosteiro, mais uma vez lutou contra sua "enfermidade de espírito e de fé".

Apesar dessas lutas, a produtividade de Lutero era sobre-humana. Durante esse tempo em Wartburg, ele escreveu diversos folhetos explicando e defendendo a Reforma, e traduziu todo o Novo Testamento para o alemão em questão de semanas.

Alguns apontam para essa incrível produtividade e alegam que de modo algum Lutero poderia ter estado deprimido. Outros apontam para ela como prova de que ele estava "lançando tinta contra o diabo"[10] como um meio de manter afastados os pensamentos mórbidos e sombrios. Quando leio as palavras do próprio Lutero, não tenho como deixar de crer nessa última hipótese.[11]

O diabo está à sua espera

Vale a pena comentarmos aqui a compreensão de Lutero sobre o papel do diabo no mundo. É especialmente importante à luz de como a depressão às vezes é espiritualizada em demasia e tratada de modo equivocado.

Na visão de Lutero, o mundo estava inundado de forças espirituais em ação por trás dos bastidores, e o diabo estava constantemente provocando estragos. Não é de surpreender, então, que ele entendesse que a fonte da depressão (sua e dos demais) fosse o próprio diabo.[12] Isso, contudo, não colocava a doença mental em uma categoria especial, pois ele considerava o diabo responsável por todas as enfermidades e contratempos — até um dedo do pé machucado. A depressão e outras doenças mentais não eram diferentes. Lutero disse sobre o suicídio: "É o diabo que passa a corda em torno do pescoço, ou que encosta a faca em sua garganta".[13] Considerava a solidão particularmente perigosa para os que lutavam contra a depressão, porque dá mais espaço para o diabo "se insinuar" com seu arsenal de pensamentos sombrios, desesperança, tentação e mentiras. As Escrituras nos dizem que nosso inimigo, o diabo, tenta "roubar, matar e destruir" (Jo 10.10), e nesse sentido, mesmo a partir de uma visão de mundo contemporânea, ocidental, podemos reconhecer o prazer do diabo em nos ver privados de prazer, mortos em espírito, e possivelmente destruindo nosso corpo.

Então, quando você lê que Lutero atribuía a depressão ao diabo ou até mesmo lutava contra o diabo como parte de sua sugerida cura, encare essas palavras à luz de sua visão de mundo como um todo. Ele lutava contra o diabo quando estava melancólico porque, em seu entendimento, isso era chegar até a fonte. E, mais uma vez, ele era igualmente rápido em falar sobre lutar contra o diabo quando enfrentava outros problemas de saúde. Sabia que todas essas provações podiam distraí-lo da liberdade e consolação do evangelho, então contra-atacava. Encorajo-o a fazer sua própria leitura de tudo o que Lutero tinha a dizer sobre combater o diabo (prepare-se para comentários acalorados). Em suma, ele se armava com as Escrituras, cantava músicas e zombava do diabo, concentrando-se na impotência do inimigo diante da vitória de Cristo. E buscava esperança e consolação em Cristo, nosso vencedor, nosso misericordioso Senhor.

Lutero aprendeu essa batalha nos tempos de mosteiro, enquanto lutava contra a *anfechtungen*, e travou-a de novo em Wartburg enquanto escrevia e traduzia furiosamente. Foi a tática que adotou todas as vezes que as garras do desespero cerraram-se em torno de sua mente.

A força logo esmorece: a doença de Lutero

Depois de dez meses de exílio, Lutero deixou o Castelo de Wartburg e voltou a Wittenberg para liderar o crescente movimento da Reforma. Foi uma decisão arriscada, porque nada mudara legalmente desde que ele havia ido se esconder, mas as interpretações extremas e violentas de suas visões que estavam emergindo exigiam atenção urgente. Uma vez estabelecido novamente em Wittenberg, Lutero começou a trabalhar na organização das igrejas protestantes. Escreveu uma liturgia mais simples em alemão para usar no culto e o *Catecismo maior* e *Catecismo menor* para lecionar e orar. Esclareceu também o papel dos sacramentos e reduziu-os de sete a dois: batismo e Ceia do Senhor.

Além disso, para a surpresa dos amigos, Lutero se casou de repente, aos 41 anos. Sua esposa, Catarina de Bora, fugira de um convento alguns anos antes, escondendo-se em velhos barris de peixes. Pelo que sabemos a respeito de Catarina Lutero, ela era vivaz, uma erupção de produtividade, e possuía um temperamento obstinado que combinava com o do marido. Catarina e Martinho Lutero teriam seis filhos juntos. Segundo a opinião geral, vieram a amar profundamente um ao outro e tiveram um casamento feliz.

Como presente de casamento, receberam o Claustro Negro em Wittenberg. Era o mesmo mosteiro agostiniano em que Lutero morara antes do início da Reforma. Os salões que outrora ressoavam com as orações e os estudos dos monges se tornaram seu lar, agora ecoando com as animadas conversas de Lutero e seus alunos, a tagarelice das crianças e as idas e vindas da crescente Reforma.

Durante todo esse alvoroço de vida e ministério, Lutero muitas vezes adoecia. Além do problema de extrema constipação, como a que sofrera no Castelo de Wartburg, desenvolveu pedras nos rins e na bexiga. A dor ocasionada por essa condição era tão excruciante que ele a comparava à morte. Ele convivia com um zumbido persistente nos ouvidos, vertigem, tontura, desmaios e dor de cabeça, sintomas que alguns sugerem estar ligados à doença de Ménière. Desenvolvera também artrite, assim como problemas cardíacos que acabariam levando-o à morte.

Após essa longa lista de problemas físicos de Lutero, gostaria de fazer uma pausa para um breve comentário. Lutero costuma ser criticado pelos ataques excessivos e vulgares escritos contra seus oponentes teológicos e políticos. Perto do final da vida, ele falou abertamente contra os judeus em uma retórica que só pode ser descrita como abominavelmente antissemítica. São inúmeros os exemplos de seu linguajar afiado e raivoso. Embora isso não desculpe, de forma alguma, seu comportamento, pergunto-me se a luta física e emocional que se passava por trás dos bastidores não contribuiu para amplificar esse lado da personalidade de Lutero. Muitos de nós, afinal, podemos relatar histórias do custo emocional de problemas médicos persistentes e não resolvidos e as formas pelas quais as lutas físicas e psicológicas se misturam.[14] Sem dúvida falando de sua própria experiência, Lutero disse: "Pensamentos opressivos causam doenças físicas; quando a alma está oprimida, o corpo também está. [...] Quando as preocupações, reflexões intensas, aflições e paixões são excessivas, elas enfraquecem o corpo".[15] O inverso também é verdade.

Temos um bom exemplo dessa conexão de corpo e espírito em um forte susto relacionado à saúde que Lutero teve aos 43 anos. Seu amigo Justo Jonas nos legou um relato em primeira mão desse acontecimento.[16]

Lutero não estava se sentindo bem. Pediu licença para se levantar da mesa de jantar por causa de um forte ruído no ouvido, mas, ao chegar à cama, sofreu um colapso, embora permanecesse consciente. Obviamente, pensou que estivesse morrendo. Orou repetidas vezes, sempre concluindo com "seja feita a tua vontade". Contou a Deus tudo o que desejaria fazer se tivesse mais tempo. Despediu-se de Catarina e do filho, Hans, confiando-os à guarda de Deus, pedindo-lhes que aceitassem a vontade de Deus se ele morresse. Ele soluçava. Todos soluçavam. Era de partir o coração.

É claro que Lutero não morreu naquele momento, apesar de continuar a se queixar de sintomas semelhantes pelo resto da vida. Entretanto, algo mais aconteceu naquele dia além da experiência física de limiar da morte. Naquela manhã, antes do ataque, Lutero contou aos amigos que estava enfrentando uma "grave provação espiritual". No dia seguinte, Jonas escreveu: "Hoje o doutor [Lutero] me disse: 'Preciso escrever uma nota sobre este dia; ontem eu estive na escola'. Ele disse que sua provação espiritual do dia anterior havia sido duas vezes mais forte do que essa doença corporal que o acometeu naquela noite".[17]

Apesar de ele haver falado sobre essa provação aos amigos, infelizmente não deixou muitos detalhes. Sabemos que aquilo o perturbara e angustiara muito. Cerca de um mês depois, escreveu a Filipe Melâncton, aparentemente sobre o(s) mesmo(s) episódio(s):

> Fiquei mais do que uma semana inteira à morte e no inferno, de modo que estava doente de tudo, e meus membros ainda tremem. Quase perdi Cristo nas ondas e rajadas de desespero e blasfêmia contra Deus, mas Deus se comoveu com minhas orações aos santos [outros cristãos] e começou a se apiedar de mim e resgatou minha alma do inferno mais profundo.[18]

A outro amigo, João Agrícola, ele escreveu nessa época, dizendo:

> Por favor, não parem de me consolar e orar por mim, porque estou fraco e necessitado [...]. O próprio Satanás investe com toda a força dentro de mim, e o Senhor me colocou sob o poder

> dele, como outro Jó. O diabo me tenta com grande enfermidade de espírito, mas, por meio das orações dos santos, ainda não fui totalmente entregue às mãos dele, embora as chagas que ele me deixe no coração sejam difíceis de curar.[19]

Ondas de dúvida e tristeza o percorriam. Quaisquer que fossem seus pensamentos, quaisquer que fossem os murmúrios das trevas, Lutero sabia que continuaria a carregar as marcas de sua depressão durante aquela temporada. Levaria meses até se recuperar. Ele descreveu esse período a um de seus amigos como um tempo de "inquietação e fraqueza".[20] Meses depois, escreveu a Melâncton novamente: "Ore por mim, verme miserável e desprezado que sou, atormentado por um espírito de tristeza".[21]

Apesar disso, chamava essa experiência de "escola". Por mais terrível que estivesse seu estado psicológico, por mais que houvesse preferido a morte às dúvidas e temores que lhe assaltavam a mente, Lutero achou que a experiência lhe ensinou algo. Essa provação, como com todos os outros, era um pátio de escola, um campo de treinamento. Ele diria, em outro texto, que as provações nos tornam mais seguros da doutrina, aumentam nossa fé e nos ensinam o verdadeiro significado das Escrituras.[22] É devido às trevas que aprendemos a natureza da luz. Essa crença não diminuía, como se poderia acreditar prosaicamente, a intensidade das trevas nem minimizava sua dor. Mas treinava Lutero a esperar crescer em meio às provações — e às vezes por causa delas. Tão forte era essa expectativa que ele a escreveu como um lembrete em meio a uma intensa luta emocional e espiritual: *Você está na escola.*

Foi por volta dessa época que Lutero escreveu o famoso hino "Deus é castelo forte e bom".[23] Ele encontrava muita força cantando para nos lembrar do evangelho e repelir os ataques de dúvida. Essas palavras ressoantes que muitos de nós ainda entoamos hoje em dia carregam um significado ainda maior quando penso no ímpeto dolorosamente físico e emocional por trás delas.

Deus é castelo forte e bom, defesa e armamento.
Assiste-nos com sua mão, na dor e no tormento.
O rei infernal das trevas do mal,
com todo o poder e astúcia quer vencer:
igual não há na terra.

A minha força nada faz, sozinho estou perdido.
Um homem a vitória traz, por Deus foi escolhido.
Quem trouxe esta luz? Foi Cristo Jesus,
o eterno Senhor, outro não tem vigor;
triunfará na luta.

Se inúmeros demônios vêm, querendo exterminar-nos:
Sem medo estamos, pois não têm poder de superar-nos.
Pois o rei do mal, de força infernal,
não dominará, já condenado está
por uma só palavra.

O Verbo eterno vencerá as hostes da maldade.
As armas o Senhor nos dá: Espírito, Verdade.
Se a morte eu sofrer, se os bens eu perder:
que tudo se vá! Jesus conosco está.
Seu Reino é nossa herança![24]

Há uma declaração de vitória certa nesses versos, algo que revela ainda mais claramente a fé de Lutero quando nos lembramos de que ele ainda estava em meio à batalha.

Cansado do mundo: acumulando perdas

Houve épocas na vida de Lutero que foram ocupadas com o ritmo normal do ministério em um tempo revolucionário. Ele precisava cuidar dos paroquianos, brincar com os filhos, ensinar os alunos, escrever cartas, pregar sermões. E houve temporadas em que ele foi golpeado por um acúmulo de provações. Talvez você tenha passado por temporadas desse tipo — temporadas em que aflição sucede aflição.

Vários anos antes da morte de Lutero, Catarina sofreu um aborto involuntário que a deixou extremamente doente — tão doente, na verdade, que não conseguiu sequer andar durante dois meses.[25] Imagino que Lutero temesse passar também pela perda da esposa.

Dois anos depois, Martinho e Catarina perderiam um precioso membro da família: a filha de 13 anos, Madalena, que ficara extremamente doente. Lutero ficou junto a seu leito de morte, consolando-a e suplicando em oração. Ele a lembrou de seu Pai nos céus, para onde ela estava indo. Mesmo com a reação confiante dela, ele voltou o rosto para o outro lado e falou: "O espírito está disposto, mas a carne é fraca. Eu a amo muito. Se essa carne é tão forte, como deve ser o espírito?".[26]

Um espectador descreveu a cena: "Quando a filha estava em agonia de morte, ele caiu de joelhos diante da cama e, chorando amargamente, orou para que Deus pudesse salvá-la se fosse essa sua vontade. Assim ela deu o último suspiro nos braços do pai. A mãe estava no mesmo quarto, só que mais longe da cama, devido à dor".[27]

Ah, a tristeza intensa desse relato! Consolar a filha enquanto ela se aproxima da morte, com plena consciência, tendo idade o bastante para entender o que lhe está acontecendo.

Consolar a esposa que chora e soluça fortemente, tentando se despedir da filha. E, em tudo isso, falando algumas verdades para si mesmo, tentando se lembrar da Promessa em meio às lágrimas. A morte de Madalena foi um severo golpe emocional. A alta mortalidade infantil da época não apaga a dor de perder uma filha. Anos depois, Lutero ainda escrevia sobre a sensação de luto e as saudades de Madalena.

Junto com essas provações pessoais, a saúde de Lutero continuou a declinar, e os problemas políticos na Alemanha se agravaram. Ele contou a um amigo: "Estou cansado, e não há nada mais dentro de mim".[28]

Até esse grande homem, Martinho Lutero, chegou a um ponto em que simplesmente desejava que tudo chegasse ao fim. Estava cansado da dor, cansado dos problemas, cansado da aflição. Estava esgotado, sem mais nada a dar. Por volta dessa época, ele declarou a Catarina: "Estou cansado do mundo".[29]

Lutero viveria ainda durante quase quatro anos, continuando em seu ministério de fé, apesar do luto e da dor física. Quando morreu, havia desencadeado um movimento religioso que mudaria para sempre a história europeia — e cristã. Em seus sermões, tratados, cartas e fragmentos de conversa, ele forneceu novas interpretações das Escrituras. Qualquer um hoje em dia que proceda de uma tradição protestante deve agradecer a Lutero por sua existência.

Depois da morte de Lutero, foi encontrado um papel em seu quarto onde estava escrita sua última declaração. Era um testamento final de suas lutas e do evangelho da graça sobre o qual ele construíra sua vida: "Somos mendigos. Isso é verdade".[30]

Encontre amigos e divirta-se

Lembro-me da dor da solidão e do medo de meus próprios pensamentos durante o pior de minha depressão nos anos de faculdade. Sentia-me separada de todos por uma espessa camada isolante. As vozes dos outros pareciam distantes, refletindo nas grossas paredes ao redor de meu coração e mente. Estava presa em uma neblina fria e enclausurante.

Certas noites eu pegava meu caderno e livro escolar — provavelmente um dos meus grossos volumes da antologia de literatura de Norton —, subia lentamente as escadas e andava até o quarto de minhas amigas, não para conversar, mas só para ficar sentada ali. Gostava de estar na presença de alguém mais que estivesse com energia, respirando, quente, vivo. As pessoas que gostavam de mim estavam ali, respirando o mesmo ar, amando-me em meio às minhas trevas — e isso era o bastante para me fazer seguir em frente.

Às vezes aquilo parecia um gesto carente, até patético — "por favor, só me deixe ficar sentada no seu quarto enquanto vocês estão aqui". Mas, sem saber, eu estava seguindo um dos conselhos várias vezes repetidos por Lutero sobre a depressão: fugir da solidão. Ao buscar companhia, estava fazendo uma das melhores coisas que podia. Lutero teria me encorajado dizendo que *isso* era lutar.

Existem diversas cartas com orientações de Lutero sobre como sobreviver à depressão. Minha carta favorita entre essas foi escrita para um jovem chamado Jerônimo Weller, que estudou com Lutero, morou em sua casa e até foi tutor de seus filhos. Sentindo-se deprimido, Jerônimo temia entregar-se ao desespero e talvez até cometer suicídio. Lutero escreveu-lhe dando este conselho:

> Fuja da solidão com todas as forças, pois o diabo o vigia e fica à sua espreita principalmente quando você está sozinho. [...] Então, Jerônimo, brinque e jogue com minha esposa e os outros. Dessa forma você expulsará os pensamentos diabólicos e ganhará coragem. [...]
>
> Tenha bom ânimo, portanto, e extirpe esses pensamentos terríveis da mente. Sempre que o diabo o importunar com esses pensamentos, busque imediatamente a companhia das pessoas, beba mais, brinque e conte piadas, ou pratique alguma outra forma de divertimento.[31]

Esse conselho pode não ser fácil de seguir. Vai contra o impulso natural da depressão, de se isolar e se retirar. A solidão trazia um estranho tipo de consolo quando eu estava deprimida. Eu não precisava agir como se estivesse normal, não precisava reunir energias para participar, para estabelecer contato visual, para sorrir, para conversar. Podia simplesmente ser, podia simplesmente desaparecer. No entanto, Lutero teria me dito para lutar contra essa tendência. Não apenas para evitar a solidão, mas para fugir dela. Cercar-me de amigos, fazer qualquer coisa exceto permanecer sozinha.

Lutero conhecia a fria clausura da solidão. Quando estava em seus aposentos no Castelo de Wartburg, lutava a sós contra os pensamentos sombrios. Entendia que, sem a distração, a consolação e o prazer que os amigos oferecem, ficaria mais vulnerável às progressões de seus pensamentos: "Os piores e mais tristes pensamentos vêm à mente. Refletimos em detalhe sobre todos os tipos de males. E, se encontramos adversidades em nossa vida, ficamos ruminando-as pelo maior tempo possível, as amplificamos, achamos que ninguém é tão infeliz quanto nós, e imaginamos as piores consequências possíveis".[32]

Considero a experiência de Lutero tão próxima a mim que me traz um sorriso mórbido aos lábios. Exatamente como ele descreve, tenho visto a depressão alimentar e ampliar meus padrões de pensamentos negativos. Todos os tipos de pensamentos e lembranças me vêm à mente: percepções distorcidas de mim mesma ou daqueles a quem amo, mágoas que achei que já havia superado, mentiras nas quais achei que nunca acreditaria. Elas se enfileiram uma após a outra, levando-me cada vez mais fundo para dentro de um abismo de desesperança e autodesprezo, e desviando-me cada vez mais da razão e da realidade. A solidão nos permite ficar na prisão de nossa mente, com muito pouco que possa nos tirar dali. Na solidão, esses pensamentos se tornam mais cruéis, mais convincentes e, às vezes, mais perigosos.

A uma mulher preocupada com o marido suicida, Lutero escreveu:

> Cuide de não deixar seu marido a sós por um só instante, e não deixe por perto nada com que ele possa se ferir. A solidão é veneno para ele. Por essa razão, o diabo o atrai para ela [...]. O que quer que faça, não o deixe a sós, e garanta que seu ambiente não seja tão quieto que ele mergulhe nos próprios pensamentos. Não importa se ele ficar zangado por causa disso.[33]

Não fique sozinho, insiste Lutero. Encontre companhia.

E quanto àqueles momentos em que não há amigos por perto, quando não há um porto seguro onde atracar? E se você estiver realmente isolado? Quando Lutero se viu nesse tipo de situação, apelou à criatividade:

> Quando sou assaltado por fortes provações, prefiro correr para junto dos meus porcos a permanecer sozinho. O coração

> humano é como uma pedra de moinho [...]; se não se coloca trigo [sob ela], ela continua a moer, mas então tritura a si mesma e se desgasta. Assim é o coração humano: a não ser que esteja ocupado com alguma atividade, deixa espaço para o diabo, que se insinua lá dentro e traz com ele todo um exército de maus pensamentos, tentações e provações, que trituram o coração.[34]

Se você não pode estar com os amigos, vá ficar com os porcos, diz Lutero. Recuse-se a permanecer sozinho. Não permita que os pensamentos sombrios continuem remoendo, rodando, rodopiando em sua mente. Encontre algum ser de sangue quente, qualquer tipo de companhia, para manter os sentimentos melancólicos afastados.

Quando nosso íntimo está enevoado pela depressão desenfreada, não podemos confiar plenamente em nossos pensamentos e em nossa percepção da realidade. A depressão tem maneiras de distorcer a realidade, de fazer as mentiras se disfarçarem de verdade. Nossos amigos — na visão de Lutero, principalmente nossos companheiros cristãos — podem nos lembrar da verdade, da realidade, da esperança. "Já é mais do que hora de você parar de confiar em seus pensamentos e ir atrás deles", escreveu ele a um amigo. "Escute outras pessoas que não estão sujeitas a essa tentação. Dê a mais profunda atenção ao que dizemos, e deixe que nossas palavras penetrem em seu coração. Assim Deus o fortalecerá e consolará por meio de nossas palavras."[35]

À medida que as vozes de nossa mente se aquietam na companhia segura de nossos amigos e queridos, podemos começar a escutar-lhes as palavras. Elas podem nos devolver a verdade sobre nós mesmos e o valor de nossa vida, sobre a esperança no futuro, sobre o amor deles por nós. Essas verdades, e a verdade da Palavra de Deus, se tornam ainda mais poderosas ao entrarem em nossos ouvidos vindas dos lábios deles. Lutero diz: "Não fique remoendo seus pensamentos, mas escute o que outras pessoas têm a lhe dizer. Pois Deus ordenou que as pessoas consolassem seus irmãos, e é vontade dele que os aflitos recebam tal consolação como se viesse do próprio Deus".[36]

Penso nos amigos mais próximos de Lutero e nas cartas que trocaram, nas conversas que a história não registrou. Penso em Staupitz dirigindo o olhar de Lutero para a cruz. Penso nas formas como o consolaram quando o mundo dele se tornou sombrio, em como o reanimaram.

Penso também em sua esposa, Catarina. Quando ele se sentia dominado por preocupações e temores, ela o confortava com as palavras das Escrituras. No caso do desespero mais extremo, ela empregou o drama:

> Certa vez, quando Martinho estava tão deprimido que nenhum dos conselhos de Catarina ajudava, ela colocou um vestido negro. Lutero notou e perguntou:
>
> — Está indo a um funeral?
>
> — Não — respondeu Catarina —, mas como você age como se Deus estivesse morto, eu quis me juntar ao seu luto.
>
> Lutero entendeu a mensagem e se recuperou.[37]

É evidente que Lutero seguiu seu próprio conselho e escutou o conselho da esposa como se viesse do próprio Deus. Abriu os ouvidos para escutar a verdade que ela dizia, e agiu de acordo da melhor maneira que conseguiu. Às vezes isso traz alívio suficiente para seguirmos em frente.

Lutero, contudo, foi ainda além em seu conselho. Com os amigos (ou porcos) com quem formos nos encontrar, ele disse que deveríamos ter algum tipo de diversão. Ah, que desafio — "brincar e contar piadas" quando o coração está oprimido, o mundo está sombrio, os pensamentos perturbados. Isso também vai contra a natureza da depressão, que obscurece o prazer de tudo. Mas, para Lutero, abraçar o máximo possível a vida e desfrutar de seus prazeres era como uma arma. Ele nos chama a estar entre amigos, encontrar algo para desfrutar que nos ajude a relaxar, e rir, mesmo se fazer isso for a luta mais árdua.

Escrevendo para um jovem príncipe que sofria de depressão, Lutero sugeriu que seria bom para ele

> andar a cavalo e caçar, e buscar a companhia de outros que podem se divertir junto com Vossa Graça de um modo reto e honroso. Pois a solidão e a melancolia são venenosas e fatais para todos, e especialmente para um jovem [...].
>
> Divirta-se [com os amigos próximos]; pois a felicidade e o bom ânimo, quando decentes e apropriados, são os melhores remédios para um jovem — na verdade, para todos. Eu mesmo, que passei boa parte da vida em aflição e melancolia, agora busco e encontro prazer sempre que possível.[38]

Aqui encontramos um contexto melhor para entender a recomendação de Lutero a Jerônimo para "beber mais". Ele não estava sugerindo que o bom e velho Jerônimo Weller se esquecesse das tristezas por meio da embriaguês. Automedicar-se com álcool ou outras drogas é perigoso — particularmente quando já se está sofrendo com a doença mental. Ao contrário, como a carta acima ao príncipe deixa claro, Lutero está defendendo o prazer bom e saudável. Creio que ele está encorajando ambos a desfrutarem dos simples prazeres materiais da vida que fazem bem ao coração. Está lhes dizendo que encontrem algo que lhes dê alegria e divertimento, algo que os mantenha ancorados na bondade de vida.

Às vezes pode parecer impossível reunir energia para realizar essas atividades prazerosas. Às vezes sentimos que precisamos ensinar novamente a nós mesmos como sorrir. Às vezes estamos simplesmente executando os gestos, inserindo-nos nessas atividades e momentos para estarmos prontos quando surgir um raio de alegria. Mas, quer estejamos cavalgando e caçando, tocando música, rindo e gracejando com amigos, ou comendo e bebendo, buscamos alguma fonte de prazer, algum meio físico de escapar de nossos pensamentos e nos lembrar da bondade no mundo de Deus.

Encontre o riso. Encontre os menores vislumbres de alegria. E vá atrás deles.

2
Hannah Allen

Cuide do corpo, da mente e do espírito

Um raio de luz irrompeu nas trevas do esconderijo dela. Dia. A família logo estaria acordada. Mal sabiam eles que ela estava perto o bastante para ouvir-lhes os movimentos, para escutar-lhes as vozes preocupadas. Será que ainda estavam à sua procura, vasculhando os bosques em busca de seu corpo?

No primeiro dia, ela temeu que o estômago fosse traí-la. Ele roncava, implorando por nutrição. Com certeza alguém ouviria. Ela se forçou a ficar imóvel, a manter os membros rígidos, a respiração suave. Forçou a fome a ir embora, abraçando o vazio no estômago. À medida que as horas passavam lentamente, a fome se aquietou. Ela adormecia e despertava sob o manto escuro que seria sua mortalha. Esperou que o fim chegasse.

Mas o fim não chegou. Após três dias, ela ainda estava lá, escondida sob as tábuas do assoalho. Haviam sido dias frios, e o frio penetrava-lhe os ossos. O corpo tremia e doía, devido ao frio, ao espaço reduzido. O tato fugia-lhe dos dedos e mãos. Será que era assim que a gente se sente quando vira cadáver? Rígida, gelada, enterrada nas trevas?

No entanto, ela não era um cadáver. A respiração ainda vinha, em lentas arfadas irregulares. O coração ainda batia, devagar e forte no peito.

Por que a vida não a abandonava? Ela não a merecia mais. Sucumbira, irremediavelmente, aos planos do diabo. Um monstro. Uma infeliz que perdera a graça de Deus. A morte era a única resposta.

Pensou no filho, em seu rosto pequeno, confiante. Como ele viveria sem a mãe, ainda que fosse uma mãe tão fraca quanto ela? Pensou nos primos, em sua bondade em mantê-la como hóspede. Como se sentiriam ao encontrar seu corpo escondido na casa deles?

Estava cansada da vida — mas não queria morrer. Queria ficar sentada junto à lareira, sentir o calor das chamas reavivar-lhe o sangue nas veias. Queria ver o filho e sentir o pequeno corpo dele pressionado contra seu peito.

O corpo dela estava fraco por causa da fome, rígido de frio. Não queria morrer.

Passos ecoaram nas tábuas sobre ela. Alguém estava vindo. Reunindo as últimas forças, ela gritou.

Diário da aflição

Quase uma década antes da tentativa de suicídio de Hannah Allen, ela era uma jovem recém-casada de 17 anos, feliz no casamento com o marido, Hannibal. Eles tiveram um filho, que lhes deu muita alegria. A sombra que pairava sobre sua felicidade doméstica eram as frequentes ausências de Hannibal da casa da família na Inglaterra devido a viagens comerciais, que mergulhavam Hannah na melancolia.

Após oito anos de casamento, ela recebeu notícias desoladoras: Hannibal morrera no mar. De repente Hannah se viu golpeada pelo luto, uma jovem viúva com um filho pequeno para cuidar sozinha. Foi morar primeiro com a tia e depois com a mãe, mas a perda de Hannibal precipitou-a em uma descida profunda rumo à depressão.

Nessa delicada situação, Hannah lutou da melhor maneira que pôde. Buscou auxílio médico, mas viu seu estado mental causar estragos em seu corpo e em sua saúde. Viajou para ver amigos, que lhe deram alívio, mas só enquanto ela estava na presença deles. Recorreu às ferramentas da fé, repetindo a si mesma promessas das Escrituras que aplicava à sua situação. Mas nada contribuiu para evitar um desespero crescente. Sua condição apenas se agravou.

Durante vários anos — até a depressão se tornar debilitante demais — Hannah registrou sua vida interior e espiritual em um diário, escrevendo sobre suas lutas e tentações, e como via Deus atuando nelas. Escrevia também suas orações. Esses diários lhe deram condições de registrar e processar suas experiências.

Escrever diários também ajudava Hannah a se lembrar. Enquanto seu estado mental e emocional declinava, ela lia os diários das lutas anteriores e se lembrava de como Deus havia operado no passado. Relembrava os anos em que caíra secretamente sob o poder da melancolia quando adolescente. Relembrava a intervenção de Deus na surpreendente camaradagem e consolação de um livro escrito por um pastor de seu tempo. Relembrava como Deus pusera fim a seu desespero.

Ao ler os registros diários de Hannah, as palavras dela me soaram familiares, como se pudessem ter sido extraídas de meus próprios diários durante meus momentos de depressão. Ela sofre. Ela luta contra os pensamentos, suplicando a Deus que intervenha, combatendo entre a esperança e o desespero. Identifico-me com sua sensação de isolamento espiritual, com a fragilidade de sua fé. Ela escreve: "A princípio, comecei a me queixar de que não encontrava mais aquele consolo e refrigério na oração como costumava encontrar, e que Deus retirara de mim sua presença consoladora e vivificante.

[...] Uma hora minha esperança era firme; na hora seguinte, prestes a ser sobrepujada".[1]

Ah, a energia necessária para levantar da cama a cada dia, vestir-se, cuidar do filho, comer! Era intimidador, penoso. "Cada dia atualmente parece um grande fardo para mim", escreveu ela.[2] A vida se arrastava em uma série interminável de dias. Parecia mais do que ela podia suportar. Suplicava por forças para resistir. Orava para que sua provação de algum modo se resolvesse de uma vez. Mas via-se confusa: "Não sei o que dizer; Senhor, tem compaixão de mim em tudo e aparece para mim. [...] Não sei o que fazer, vou desmoronar".[3]

Poucas semanas depois, em desesperada dependência, ela se lançou nos braços de Deus:

> Senhor, não sei o que fazer, apenas meus olhos estão erguidos para ti, o diabo ainda me mantém sob terrível sujeição, e em triste aflição e angústia, mas bendito seja meu Deus, por não ter lançado sobre mim todas as aflições ao mesmo tempo; que meu filho esteja tão bem, e que eu tenha tantas outras bênçãos, que o Senhor abra meus olhos para ver; principalmente que Cristo é meu, por causa do Senhor, e então eu tenho o bastante.[4]

Hannah se esforçava para ver a obra de Deus em meio à sua luta. Não tinha mais ninguém a quem recorrer. Voltava os olhos às bênçãos de Deus, percebendo que as coisas poderiam ser piores. E orava por olhos abertos para ver a presença e a promessa de salvação de Cristo como "o bastante".

Isso, por um breve período, pareceu ajudá-la, como me ajuda quando a depressão é leve e não assume totalmente o controle. Porém essas práticas não criam uma barreira impenetrável, e Hannah viu a depressão continuar a corroer-lhe a mente e a fé. Esse foi seu último registro, pois sua condição piorou e ela perdeu de vista até a esperança de salvação.

"Monstro da criação": as ilusões espirituais de Hannah

É sabido que a depressão se infiltra em nossa vida espiritual. (Nunca encontrei ninguém para quem isso não houvesse acontecido.) Os pensamentos se tornam lentos, as orações pesadas. Às vezes sentimos como se a presença de Deus houvesse se afastado em silêncio, deixando-nos para trás em uma densa neblina de dúvida, medo e desespero.

Não deveria nos surpreender, então, que a depressão de Hannah fosse acompanhada de intensas lutas espirituais. Sua vida espiritual, contudo, não caiu simplesmente sob o poder da depressão, como aconteceu com muitos de nós; tornou-se também uma obsessão que lhe obscureceu e enganou a mente.

Ela não foi a única. Muitos outros sofreram do que era então chamado "melancolia religiosa",[5] porém nunca poderemos ler suas histórias. São os sofredores silenciosos que a história não registrou.

É por esse motivo que a história de Hannah é importante, mesmo que ela não tenha influenciado uma alteração monumental na história da igreja como Martinho Lutero, nem escrito sermões ou hinos ainda apreciados hoje, como Charles Spurgeon ou William Cowper. A história de Hannah é a de uma cristã normal tentando viver na fé em meio às provações da vida, mas a história da igreja é construída sobre a vida de pessoas "normais" como ela. Sua luta não é menos importante porque poucos conhecem seu nome. Também não são menos importantes as lutas de outros irmãos e irmãs que batalharam (e batalham) contra a depressão, embora talvez jamais conheçamos seu nome nesta vida. Precisamos de histórias como a de Hannah — precisamos da *sua* história, caro leitor ou leitora —, porque vemos nelas a dedicação e a obra de Deus tanto quanto nas de nossos heróis.

A dor de Hannah projeta um esboço vago do que outros que foram atormentados pela "melancolia religiosa" podem ter vivenciado. É a depressão com uma fixação decididamente religiosa. Assaltada pelo que ela chamava de tentações do diabo, Hannah sentia-se tão esmagada pelo sentimento de culpa e pecado que passou a acreditar que era uma pecadora sem igual. Lia e repetia partes da Bíblia de forma a distorcê-las para julgar a si mesma. Palavras escritas para consolar se tornaram uma maldição. Ao longo do tempo, ela acreditava, "o diabo [a] havia dominado irrecuperavelmente" e tudo se perdera.[6] Ela insistia em que Deus lhe havia revelado sua condenação. Vozes humanas lhe apareceram como demônios disfarçados de homens, rejubilando-se com sua queda. Declarou que era "um terror para mim mesma e todos os meus amigos; que eu era um inferno sobre a terra, e um diabo encarnado".[7] Ninguém conseguia persuadi-la do contrário.

Ministros e amigos foram visitá-la. Ofereciam-se para orar com ela, pregar para ela. Ofereciam-lhe consolação espiritual. Mas de nada adiantava. Ela evitava sair para escutar a Palavra de Deus (em sermões) ou receber o sacramento da Ceia do Senhor, porque achava que só acumularia sobre si mais condenação e culpa. Dizia-lhes que não deviam orar por ela.

Quando eles continuavam tentando persuadi-la do erro de seus pensamentos, ela apresentava resposta para cada objeção. Por exemplo, eles concordavam com a insistência dela em que o diabo a controlava, mas lhe contavam histórias de pessoas que se libertaram da possessão do demônio por meio da oração. A possessão demoníaca seria melhor, se comparada ao seu estado, ela lhes disse, pois aquela podia ser remediada. Ela era "mil vezes pior do que o diabo" e o "monstro da criação".[8] Seus pecados eram tão grandes que "o próprio diabo era um santo" comparado a ela. Quando eles a lembravam do evangelho e da oferta do perdão dos pecados, ela insistia em que não poderia ser perdoada e estava perdida eternamente.[9] É trágico ler seus pensamentos iludidos. É frustrante ver sua lógica obstinada e, ao mesmo tempo, equivocada. Ela começou a entalhar as paredes com a tesoura, escrevendo: "*Infelicidade, infelicidade, infelicidade e desgraça por toda a eternidade; estou acabada, acabada para sempre, como jamais alguém esteve antes de mim*".[10]

Hannah expressou o desejo de ver apenas um conselheiro espiritual durante esse período: Richard Baxter. Confiava em sua opinião e avaliação da condição espiritual dela. É nesse ponto que minha imaginação histórica é aguçada. Quando ela ouviu falar desse pastor puritano? Como veio a saber de seu cuidado misericordioso para com aqueles dominados pela melancolia?

Lamentavelmente, Hannah e Baxter nunca se encontraram. O primo de Hannah tentou acertar um encontro entre eles, mas, apesar de seus esforços, jamais conseguiu. Com base, porém, em um sermão que Baxter pregou anos depois, intitulado "A cura da melancolia e da tristeza excessiva",[11] imagino que ele lhe teria dito algo deste tipo:

"Você não está sozinha nesses sentimentos — independentemente do quanto possa sentir que é a única que já se sentiu assim, que é a pior pecadora de toda a criação. O fato de que odeia esses pensamentos e abomina esses sentimentos é um sinal de que eles são tentações do diabo, não de Deus, e não o verdadeiro estado de sua alma.

"Esses sentimentos surgem do mau funcionamento de seu corpo, um estado tão real quanto uma perna quebrada. Encontre um médico hábil em tratar da melancolia e obedeça a suas recomendações. Não confie em pensamentos confusos — em vez disso, confie nas palavras e verdades ditas a você por aqueles 'de cabeça mais sensata do que você neste momento', mesmo que não consiga acreditar plenamente neles. Não fique ruminando esses pensamentos nem passe tempo demais refletindo. Descanse a mente, volte-a para pensamentos diferentes e não permaneça ociosa.

"Não fique a sós. Agora não é o momento para a solidão ou para longas orações e meditações em particular. Procure a companhia de amigos e familiares que gostam profundamente de você, ore na companhia do corpo da igreja. Deixe que a lembrem de que o amor de Deus é para você. E, quando puder, console os outros com a consolação que recebeu durante essa provação. Isso a lembrará de que sua mente não é a única a sofrer. Ao consolá-los, você pregará a si mesma e solidificará a verdade em sua alma".

Fumando aranhas: suicídio e privação de alimentos

Quando a depressão de Hannah se intensificou pela primeira vez, ela se convenceu de que a morte era iminente. Todas as manhãs, declarava que morreria antes de anoitecer, e todas as noites, que morreria antes de amanhecer. A tia e a mãe decidiram que deveriam levá-la a Londres, onde poderia receber melhores cuidados "tanto para a alma quanto para o corpo". Hannah, contudo, insistiu em que morreria na viagem.[12] Mesmo depois que a persuadiram a ir a Londres, ela relutava em sair da cama todas as manhãs durante a viagem: "Protesto veementemente dizendo: *Certamente morrerei no caminho, não seria melhor morrer na cama? Mãe, acha que as pessoas vão gostar de ter um cadáver na carruagem com elas?*".[13]

Com o tempo, Hannah começou a acreditar que uma morte natural era misericordiosa demais para seu estado de depravação. Supunha que Deus a estivesse escolhendo para um final especialmente horrendo. Era mais uma de suas ilusões, e se tornou mortífera. Foi quando começou a pensar em acabar com a própria vida.

Depois que Hannah sobreviveu, na verdade, à viagem a Londres, a mãe a levou para a casa do irmão e voltou para a própria casa. O irmão solteiro viajava com frequência a negócios, então Hannah se viu a sós muitas vezes, com apenas dois dos criados do irmão na casa. Isso lhe deu uma quantidade perigosa de tempo para ruminar seus pensamentos sombrios — exatamente o que Baxter a teria aconselhado a evitar — e tempo demais para ponderar e planejar como pôr fim à existência.

Enviou a criada à farmácia para comprar ópio, mas a criada voltou de mãos vazias, dizendo a Hannah que a farmácia não tinha ópio ou que se recusaram a lhe dar por causa do perigo da substância. Indago-me se isso era verdade ou se foi a mentira de uma mulher sensível que estava tentando manter uma droga letal longe das mãos de uma patroa cuja mente estava descontrolada e que estava desesperada para pôr um fim em seu sofrimento.

Os planos suicidas de Hannah então tomaram um caminho morbidamente criativo. Ela começou a capturar aranhas, que acreditava serem venenosas. (Que eu saiba, não havia em nenhum local da Inglaterra aranhas venenosas o bastante para causarem algum mal a Hannah.) Colocou--as em seu cachimbo com um pouco de tabaco e as fumou, pensando que poderia se envenenar. Certa noite, depois de fumar uma aranha antes de ir para a cama, ela acordou, convencida de que estava morrendo. De repente, com medo da perspectiva de morrer, chamou o irmão e contou-lhe o que fizera. Ele mandou buscar um farmacêutico, que lhe receitou uma droga que expelia qualquer veneno. Evidentemente ela estava, como Baxter descreveu, "cansada de viver e com medo de morrer".[14]

O irmão, agora consciente das tentativas de suicídio, sabia que Hannah não podia ser deixada a sós. Em seu estado atual, ela necessitava de mais cuidados e observação do que ele poderia lhe dar. Após consultar outros membros da família, enviou Hannah para viver com os Walkers. A Sra. Walker era uma parente, e Hannah diz que ela "me recebeu de modo muito cortês, embora, naquela época, eu não passasse de uma hóspede incômoda".[15] Não subestimo a generosidade e bondade dessa família em receber Hannah como hóspede no estado em que se encontrava.

No entanto, mesmo com a mudança de cenário e mais companhia e supervisão, os pensamentos suicidas de Hannah não cessaram, nem suas tentativas de tirar a própria vida. Na época em que redigiu suas memórias, Hannah atribuiu a Deus o mérito por ter salvado sua vida: "O olho vigilante do Senhor sempre me impediu generosamente [de seguir os rumos] que pensei para pôr fim à minha vida".[16] Mais tarde ela seria grata por isso.

Enquanto viveu com os Walkers, Hannah começou também a privar-se de alimentos.[17] No início, isso parecia outra tentativa de suicídio. Foi na casa dos Walkers que ela se escondeu debaixo das tábuas do assoalho para morrer lentamente. Com o tempo, o comportamento anoréxico de Hannah só piorou. Ela foi morar com a tia Wilson em um estado em que "não comia o suficiente para se manter saudável".[18] Como a própria Hannah observou, "Eu estava extremamente magra; e, ao final, era apenas pele e ossos". Uma vizinha, avistando-a, declarou: "Ela não vai sobreviver, tem a morte estampada no rosto".[19]

Só imagino quão difícil deve ter sido para a tia de Hannah vê-la ficar cada vez mais fraca. Ela não sabia também como aguentar as coisas horríveis que Hannah dizia. Quando Hannah estava em um humor suficientemente bom para conversar, a tia tentava chamá-la à razão, convencê-la de que seus pensamentos eram ilusões e, portanto, errados. "Mas quando começava a falar comigo de tais coisas", Hannah escreveu, "eu geralmente fugia enfurecida e dizia: *Já que não quer me deixar sozinha, podia pelo menos me deixar ter um pouco de paz enquanto estou fora do inferno.*"[20]

Outras vezes, Hannah irrompia em um choro incontrolável. Declarava à tia: "Ah, você mal sabe em que deplorável e sombria condição me encontro".[21]

Gradualmente: recuperação com os Shorthoses

Após três anos de luta, os parentes de Hannah, o Sr. e a Sra. Shorthose, foram visitá-la. Como fizera com tantos, ela se recusou a vê-los. Mesmo quando estavam sob o mesmo teto, jantando com a tia Wilson, Hannah se isolou. Os Shorthoses, de forma compreensível, ficaram ainda mais preocupados com o isolamento de Hannah.

Na noite seguinte, os Shorthoses jantaram com a tia Wilson novamente, dessa vez na casa de um parente mútuo. Após o jantar, eles se afastaram do restante do grupo e foram secretamente para a casa dos Wilsons. Sabendo que Hannah não estava bem, sentiram que precisavam vê-la. Quando abriram a porta dos fundos e entraram na cozinha, encontraram Hannah assustada e furiosa. Ela correu até a grande lareira e brandiu as tenazes, gritando sobre a traição da tia, que ela supunha haver agido contra seus desejos. Depois de assegurá-la de que a tia Wilson não sabia nada sobre a presença deles, os Shorthoses conseguiram acalmá-la. O Sr. Shorthose tomou-a pela mão, dizendo: "Venha, venha, largue essas tenazes e venha conosco até a sala de estar". Ela cedeu e, depois de uma longa conversa, eles a deixaram em um estado de espírito tão calmo que, quando partiram, ela disse: "Não gostaria de me separar deles".[22]

Encorajado por esse encontro, o Sr. Shorthose retornou no dia seguinte e levou Hannah a um passeio. Ao fim do dia, ele e a tia a persuadiram a ir ficar com eles. O Sr. Shorthose recebera treinamento não apenas como ministro, mas também em medicina. Orientado por sua própria experiência e consultas com outros médicos, colocou Hannah sob um rígido tratamento médico durante o verão. Sob seus cuidados, ela finalmente começou a mostrar melhoras. No outono, quando voltou à casa da família em Snelston, Hannah estava novamente visitando amigos e assistindo aos cultos. Sua recuperação continuou ao longo dos dois anos seguintes. A luz surgia devagar, "gradualmente", assim como as trevas haviam chegado.

A história dela como a conhecemos termina com seu segundo casamento com um viúvo chamado Sr. Charles Hatt.

Hannah o descreve como um homem temente a Deus com quem ela teve uma vida confortável. É, aparentemente, um "final feliz", mas o resto da vida dela nos está velado. A maioria dos estudiosos concorda que ela morreu na época em que sua autobiografia espiritual foi publicada, cerca de quinze anos depois.

Indisposições corporais e doenças espirituais: uma visão holística da depressão

O que me fascina sobre a experiência de Hannah Allen é sua insistência na relação entre as provações físicas e espirituais. Nesse aspecto, o sofrimento não diferia daquele de Martinho Lutero. O físico e o espiritual estavam profundamente entrelaçados, e quando um era ativado dolorosamente, o mesmo acontecia com o outro. Apesar das obsessões religiosas e da profunda fixação religiosa de sua depressão, ela declarou claramente que seu corpo estava curado, e as perturbações espirituais se resolveram em resultado:

> à medida que minhas indisposições corporais sombrias e melancólicas declinavam, o mesmo acontecia com minhas doenças espirituais, e Deus me convenceu gradualmente de que tudo isso vinha de Satanás, seus enganos e tentações, operando sobre aqueles humores negros e sombrios, e não de mim mesma, e isso Deus me esclareceu cada vez mais; assim, consequentemente, meu amor e contentamento pela religião aumentou.[23]

Hannah dizia que Satanás usava seu estado físico — a mente turva e corrompida pela melancolia — para tentar sua alma. Mas insistia em que era quando a melancolia a deixava que seu estado espiritual voltava ao normal, e não o contrário.

Conheço muita gente que luta contra o obscurecimento da linha entre a depressão e a vida espiritual. Aqueles de nós que sofrem com depressão escutam o refrão "é só orar mais" ou "é só ter mais fé". Perguntam-nos como podemos estar deprimidos se o fruto do Espírito inclui a alegria. Certa vez ouvi alguém que estava orando por uma amiga cristã que lutava contra pensamentos suicidas dizer: "Senhor, sabemos que outrora ela te conhecia, mas por alguma razão está escolhendo se afastar de ti neste momento" — como se a fé dela houvesse sido deixada de lado, em vez de ser um dos poucos fatores que a mantinham viva.

Tenho visto grandes prejuízos causados por essa mentalidade. A dor e a culpa se combinam. Eu mesma senti o fardo da culpa — da vergonha porque deveria estar me saindo melhor, deveria ser "uma cristã melhor" (seja o que for que isso signifique). E tenho convivido com as lágrimas e perguntas de outras almas queridas que estão sob a mira dessas acusações.

A depressão é um problema espiritual no sentido de que tudo em nossa vida é um problema espiritual — nossos hábitos, nossos pensamentos, até as menores decisões. Mas não podemos classificar a depressão como somente um problema espiritual, com somente causas espirituais e somente uma cura espiritual — mesmo em um caso como o de Hannah, em que os padrões de pensamento são principalmente espirituais. Aqueles que se preocupavam com ela no século 17, muito antes do desenvolvimento da moderna psicologia ou neurociência, assim como dos medicamentos psicotrópicos, sabiam que a situação era mais complicada. O escritor anônimo da introdução à autobiografia dela nos lembra de que "se o corpo está desestruturado e fora de sintonia, a alma não pode estar tranquila".[24]

É claro que os amigos tentaram convencê-la racionalmente. Oraram com ela. Continuaram a lembrá-la da verdade de sua fé. Essas ações são parte do arsenal da comunidade cristã em meio a todos os tipos de circunstâncias penosas. São os meios pelos quais a comunidade de fé cerca os feridos que estão no caminho, quer essa "ferida" seja a depressão, quer qualquer outra doença que possa nos acometer. No entanto, a importância da oração ou o encorajamento das Escrituras não significa que possamos abandonar outros meios de cura. Não fariamos isso com o câncer. Tampouco podemos fazê-lo com a depressão.

Hannah e seus fiéis guardiões nos lembram de que precisamos tratar a depressão holisticamente. Buscamos a cura do corpo, da mente e da alma. Cuidamos da alma, golpeada pelos truques da depressão. E usamos as opções médicas disponíveis, como terapias e medicação baseadas em dados objetivos. Essas ações não devem ser mutuamente excludentes.

A cura para Hannah Allen não foi arrastá-la para a igreja. Não foi convencê-la a orar mais. Não foi citar as Escrituras para ela até extinguir-lhe o desespero. Seus guardiões buscaram para ela o melhor cuidado médico da época. Alteraram seu ambiente. Colocaram-na no que hoje seria chamado de prevenção ao suicídio por vigilância. Estavam sempre lhe oferecendo compaixão. Cuidavam de sua alma, sim, mas também cuidavam de seu corpo.

Deus ainda estava operando? Sem dúvida. A própria Hannah nos diz que Deus, em sua misericórdia, continuava com ela nos dias mais sombrios. Ele ainda estava presente e atuando nos momentos de dor. Mas isso não a impediu de procurar um médico.

3
David Brainerd

Deixe um legado de fraqueza fiel

A cada hora que passava, a civilização ficava mais para trás. Já devia ter entrado em Nova York agora.

Pensou no irmão, John, caminhando pelos salões de Yale, e desejou estar com ele. Relembrou os dias que passara naqueles salões — orando com amigos, encontrando-se com tutores. Quão diferente seria sua vida se ele houvesse aprendido autocontrole, se tivesse moderado o orgulho, refreado a língua, resistido ao entusiasmo sectário. Estaria quase se formando, pronto a dedicar seus cuidados a uma paróquia como simples ministro. Mas ali estava ele, aproximando-se cada vez mais de uma região inóspita.

A natureza parecia morta, presa no purgatório do final do inverno, as árvores parecendo esqueletos imponentes. Enquanto fitava distraído as gradações de cinza que passavam, os passos do cavalo retumbavam em coro com as batidas de seu coração. Era o som de um martelo cravando resoluto os pregos em seu caixão.

Pensou no pai, aquela presença digna cujo rosto era nebuloso em suas lembranças de infância. A imagem desgastada pelo tempo do rosto da mãe também lhe veio à mente, trazendo consigo lembranças do cheiro de fermento da cozinha quente. Lembrou-se de como sua orgulhosa compostura adolescente se dissolvera em lágrimas secretas na escuridão da noite depois que a enterraram sob a terra.

Havia também seu irmão Neemias, e os dois filhos pequenos que este deixara quando a tosse sangrenta da tuberculose lhe sufocara o último suspiro. Pensou em todas as pessoas a quem enterrara.

Como ele as invejava! Estavam livres deste mundo, com suas aflições inexprimíveis e invencíveis. Era um vácuo, um vazio escancarado que devorava toda alegria, todo prazer. Estava cansado dele. Quanto tempo mais teria de esperar até que a morte o levasse embora?

Tentou orar, mas não conseguiu formular as palavras. Seus pensamentos eram ingovernáveis e apáticos. Parecia não haver Deus a quem recorrer. Será que ele o havia enviado àquela penumbra e então o abandonado? Será que removeria sua misericórdia para sempre? Será que a morte lhe traria alívio se ele tivesse sorte o bastante de ela o encontrar, ou será que ele se veria apartado da graça? Os pensamentos vinham como ondas implacáveis, oscilando com dúvidas e tristeza, desabando sobre sua mente, oprimindo-o, ameaçando afogá-lo. Ele lutava contra elas, o coração gritando por paz, por quietude, por clareza. Quanto mais pensava, mais fundo a mente mergulhava — entorpecida, paralisada, à deriva.

Talvez aquilo tivesse sido um erro. Quem era ele para ser pregador do evangelho? Que benefício poderia advir de sua missão? Ele era ignorante. Fraco. Impotente. Indigno. Um ser desprezível, inepto para andar na terra de Deus. A tarefa com que se defrontava estava além de suas fracas capacidades.

O cavalo continuou andando, e ele não lhe alterou o curso. Ir em frente é melhor do que parar, dissera a si mesmo meses antes. *Prefiro ir a ficar. Que Deus me ajude.*

Universitário radical transformado em missionário

Enquanto o cavalo de David Brainerd trotava pelas estradas rumo a seu primeiro posto no estado de Nova York, ele estava longe do que idealizamos como o missionário perfeito. Nos meses que conduziram a essa jornada, ele escreveu:

> Meus conflitos espirituais atuais eram inexprimivelmente horríveis, mais opressivos do que as montanhas e as marés transbordantes. Eu parecia encerrado, por assim dizer, no próprio inferno: privado de toda a percepção de Deus, até mesmo da existência de um Deus; e aquela era minha desgraça. [...] Minha alma estava em tal angústia que eu não conseguia comer; mas me sentia como suponho que se sentiria um pobre desgraçado que está se encaminhando para o local de execução.[1]

Ele não estava em um momento espiritualmente elevado, de confiança em suas habilidades, seguro em sua vida espiritual. Deus parecia distante, e ele se sentia inadequado. O peso do novo empreendimento caiu sobre ele como o laço de uma forca. Lutou em busca de alguma aparência de alegria. Estava deprimido.

É impossível ler as palavras do diário de Brainerd e não notar a depressão. Jonathan Edwards, que editou *A vida e o diário de David Brainerd* após a morte de Brainerd, sentiu a necessidade de mencioná-lo explicitamente na introdução ao livro. Mesmo as amplas alterações e cortes que Edwards fez nas palavras de Brainerd não conseguiram esconder a melancolia. Era evidente demais. Edwards não teve escolha senão admitir a tendência de Brainerd à depressão, e a definiu como uma "imperfeição" nele.[2] O desespero e desânimo de Brainerd foram um refrão constante durante seus anos de ministério. Podemos vê-lo passar por ciclos — em certos momentos, desolado e ansiando pela morte, depois experimentando uma lenta melhora, mas mergulhando novamente no abismo em seguida. Um processo tão constante, todavia, quanto sua determinação em seguir adiante.

Durante as viagens até chegar ao local do primeiro posto, ele escreveu: "Era evidente que eu estava me lançando em todo tipo de dificuldades e agonias naquele empreendimento. Achei que seria menos difícil descansar no túmulo; mas, apesar disso" — e eis o tema da vida dele —, "escolhi ir em vez de ficar".[3]

Brainerd "foi" apesar de seus temores ou sentimentos, e da dúvida e insegurança que o assolavam. Foi em frente, de um novo posto missionário a outro, e continuou pregando mesmo quando não via resultados. Constantemente em mudança, viajou de uma povoação a outra, a encontros e conferências, em pequenas cidades da Nova Inglaterra. Em apenas um ano, perto do fim de seu ministério, viajou quase cinco mil quilômetros a cavalo. Ele estava sempre indo. Quando a depressão obscureceu sua visão e a tuberculose acabou minando suas forças, ele continuou a lutar para ser fiel ao que entendia ser o chamado de Deus.

Esse chamado não foi sempre para ser missionário nas regiões ermas de Nova York, Pensilvânia e Nova Jersey. No início, David Brainerd pretendia ser ministro, como o avô e o bisavô antes dele.

Entrou em Yale aos 21 anos, em meio à constelação de avivamentos que se espalharam pela Nova Inglaterra, depois conhecidos como Grande Despertar. No terceiro ano de Brainerd na faculdade, New Haven e Yale estavam em tumulto, e o frenesi do fervor religioso o arrebatou como fizera com muitos outros. Seu entusiasmo logo o levou ao gabinete do reitor de Yale, Thomas Clap, que era uma firme "Luz Antiga" (contra os avivamentos) e estava descontente com a ameaça à ordem e às normas estabelecidas. Sob a liderança de Clap, a faculdade instituiu uma nova regra proibindo qualquer aluno de falar mal da vida espiritual dos professores. Um bisbilhoteiro estudante dos primeiros anos denunciou Brainerd por haver comentado que um de seus tutores, Chauncey Whittelsey, possuía "uma graça inferior à desta cadeira", um comentário que, em essência, colocava em dúvida a salvação de Whittelsey.[4] Quando Brainerd se recusou a fazer uma confissão pública daquilo que achava ser um crime privado, ele foi expulso.[5]

Com esse golpe disciplinar, Thomas Clap cerrou as portas ao chamado e desejo de Brainerd de ingressar no ministério. Não havia uma solução simples como se matricular em outra faculdade — não havia, na época, as opções disponíveis hoje em dia. Brainerd ficou arrasado. Sentiu intensamente o que percebeu como um ataque deplorável a seu caráter e reputação. Sentiu-se também culpado e "desprezível", e indagou-se se Deus alguma vez o consideraria útil. Esses sentimentos continuaram a persegui-lo mesmo depois que iniciou o ministério.[6]

Brainerd acabou se abrandando (como aconteceu com a maioria dos pregadores do avivamento durante o Primeiro Grande Despertar), mas nunca abandonou o entusiasmo experiencial com o Despertar. Rejeitou, no entanto, o extremismo e a intolerância que o Despertar havia fomentado — do qual ele havia sido parte — e depois lamentou profundamente o que chamou de "espírito sectário", essa espiritualidade de avivamento que causou tamanha divisão e controvérsia.

Tornou-se mediador de diversas congregações envolvidas em divisões semelhantes e foi bem-sucedido em trazer ambos os lados de volta a uma harmoniosa camaradagem cristã. Sua experiência como "radical" se transformou em uma ferramenta para essa pacificação.

Nada disso lhe devolveu, contudo, sua posição em Yale, nem fez com que obtivesse um diploma. Muitos amigos e aliados negociaram em sua defesa, mas ele nunca retornou.[7]

Embora Brainerd não pudesse ser ministro sem diploma nem ordenação, no verão seguinte à expulsão ele recebeu uma autorização de uma associação de ministros congregacionais em Connecticut, que lhe permitia pregar. Vários meses depois, a Sociedade Escocesa para a Propagação do Conhecimento Cristão o nomeou missionário para trabalhar com os povos indígenas norte-americanos. Ele visitou um dos poucos missionários já estabelecidos — John Sergeant, em Stockbridge, Massachusetts — e em seguida partiu por aquela estrada sombria rumo ao posto que lhe haviam indicado em Kaunaumeek, perto da atual Albany, em Nova York. Ele tinha 25 anos.

Em um deserto solitário e melancólico

Brainerd foi educado em uma família respeitada e de renome na Nova Inglaterra. Apesar de não ser rica, a família vivia com conforto e era bem relacionada. Ele passava os dias andando por cidades e vilarejos, discutindo religião em salas de estar bem mobiliadas. Quando chegou a Kaunaumeek, seu estilo de vida refinado declinou verticalmente ao nível daquele dos pioneiros. Cerca de um mês depois de chegar lá, Brainerd escreveu a seu irmão John:

> Moro no deserto mais solitário e melancólico, cerca de trinta quilômetros de Albany. [...] Hospedo-me com um pobre escocês; sua esposa mal consegue falar inglês. Minha dieta consiste principalmente em mingau de farinha de milho, milho cozido e pão assado sobre as cinzas, e às vezes um pouco de carne e manteiga. Minha casa é um montinho de palha, depositado sobre algumas tábuas, um pouco acima do chão; pois moro em uma cabana de troncos, sem qualquer assoalho. Meu trabalho é extremamente pesado e difícil; viajo a pé dois quilômetros na pior das estradas quase diariamente, ida e volta, porque moro longe de meus índigenas. Não vi nenhum inglês neste mês. Essas e muitas outras circunstâncias desconfortáveis me aguardam, e no entanto meus conflitos e aflições espirituais ultrapassam tudo isso em tão alta medida que raramente penso nesses problemas, mas sinto como se estivesse sendo recepcionado do modo mais suntuoso. O Senhor garante que eu aprenda *a suportar a dificuldade, como bom soldado de Jesus Cristo*![8]

Durante os quatro anos seguintes de seu ministério, as queixas nunca mudaram. Ele estava sozinho. As acomodações eram ruins para seu corpo enfermo, já afligido pela tuberculose, que lhe tiraria a vida quatro anos depois.[9] Os povos indígenas norte-americanos estavam espalhados e distantes uns dos outros, e a distância física entre seu alojamento e as aldeias indígenas dificultava que se encontrasse com eles. Tudo ao redor dele era um deserto imenso, e dentro dele bramia uma tempestade de culpa e medo, desânimo e desespero. Apenas uma semana depois de chegar a Kaunaumeek, Brainerd escreveu:

> Considerava-me extremamente ignorante, fraco, impotente, indigno e, no geral, inadequado para meu trabalho. Parecia-me que nunca conseguiria fazer qualquer serviço ou ter qualquer

sucesso entre os indígenas. Minha alma estava cansada da vida; eu ansiava sem medidas pela morte. Quando pensava em qualquer alma devota que partia, minha alma estava pronta a invejar-lhe esse privilégio, pensando: "Ah, quando chegará minha vez! Provavelmente terei de esperar anos!".[10]

A depressão obscurecia-lhe a visão de si mesmo, de seu trabalho e do valor da vida em si. No dezembro seguinte, descreveu o mundo ao irmão como de "inexprimível aflição", dizendo: "Estou mais cansado da vida, creio, do que nunca. O mundo todo me parece como um imenso vácuo, um vasto espaço vazio, de onde nada desejável ou satisfatório poderá derivar".[11] Apesar de seus sentimentos, durante todas as dificuldades, ele simplesmente tentou resistir, continuar fielmente o trabalho no mundo que ele só conseguia chamar de "uma mansão sombria, nebulosa".[12]

Após três meses com o escocês, Brainerd construiu uma casinha no povoado indígena para ficar mais perto e mais acessível a eles nas manhãs e no anoitecer, quando eles estavam mais frequentemente em casa. Na nova casa, ele ainda se sentia privado dos "confortos necessários e comuns da vida" e ia buscar pão a uma distância de vinte a trinta quilômetros, acabando por encontrá-lo mofado quando finalmente ia comê-lo.

Logo Brainerd também encontrou dificuldades em sua missão específica. Os cristãos brancos não haviam se tornado benquistos entre os indígenas. Ao contrário, haviam logrado e enganado as aldeias a sair de suas terras ancestrais onde viviam havia gerações. E estavam destruindo as comunidades indígenas com o alcoolismo fornecendo-lhes aguardente. Os povos indígenas norte-americanos suspeitaram, compreensivelmente, de Brainerd e mostraram-se desesperados em proteger o que restava de sua terra e cultura.

Com o passar do tempo, Brainerd também veio a enfrentar oposição de outros colonos, que disseminaram falsos rumores a seu respeito e questionaram seus motivos. Estavam zangados com a perda da renda advinda do álcool em decorrência do incentivo de Brainerd à comunidade indigena para conter o hábito de consumir bebida alcoólica.[13] Além disso, eles desconfiavam que a conversão ao cristianismo, e a educação que inevitavelmente se seguiria a ela, limitaria sua habilidade de enganar os povos indígenas a assinar tratados que não atendiam aos interesses das aldeias. Ao lado desses motivos mal-intencionados, havia o simples temor da diversidade — de pessoas que eram diferentes deles —, que os levava a imaginar os indígenas cortando-lhes a garganta enquanto dormiam.

Como todos nós, David Brainerd era um homem de seu tempo, e carregava consigo o mesmo racismo e atitudes de superioridade cultural que levaram ao tratamento bárbaro dos povos indígenas norte-americanos. Chamando-os de "crianças", ele os considerava preguiçosos, ignorantes e incapazes de lidar com assuntos seculares. Não entendia seus valores e modo de viver — tão diferentes dos seus. E não visualizava uma forma indígena de cristianismo; não conseguia enxergar além de seu próprio jeito branco e ocidental de seguir a Cristo. Ele não era um nobre salvador, e devemos reconhecer suas atitudes pelo que eram.

Observando, todavia, o comportamento de Brainerd em contraste com sua herança cultural, parte de seus comportamentos e atitudes são notáveis. Quando se mudou para o primeiro assentamento em Kaunaumeek, por exemplo, ele morou com uma família de indígenas em sua cabana enquanto construía uma casa. Dentro de um ano, aprendeu a língua deles o suficiente para orar e entoar cânticos de adoração com eles em sua própria língua. Depois ele sentiu uma afinidade maior com "seu povo", seus irmãos e irmãs indígenas em Cristo, do que com os brancos "pagãos", preferindo dormir ao ar livre no chão com os companheiros indígenas do que em uma pensão com pessoas que compartilhavam sua cor de pele.

Ele também encarava os indígenas convertidos como companheiros crentes e os acolhia em plena irmandade à Mesa do Senhor. Havia alguns, na época, que se perguntavam se isso era mesmo possível. Ele descreveu a reação à sua mensagem na última comunicação que fez em Crossweeksung, Nova Jersey, como um avivamento — um despertar semelhante ao da congregação branca de Jonathan Edwards em Northampton, Massachusetts. São primeiros passos, é claro, mas não posso deixar de me perguntar que outras transformações poderiam ter ocorrido em suas atitudes e comportamentos se sua vida com os indígenas não houvesse sido interrompida.

Um cachorro morto pregando

Brainerd teve de esperar por esses dias de avivamento e conversões. Eles só vieram no final de sua vida, e durante a maior parte de seu ministério ele batalhou muito para ver resultados. Após cerca de um ano em seu primeiro posto em Kaunaumeek, ele confiou "seu povo" aos cuidados de John Sergeant, em Stockbridge — o missionário pioneiro com quem ele treinara brevemente no ano anterior — e se mudou para uma nova missão na Pensilvânia, junto ao rio Delaware (perto da atual Easton). Esse segundo posto o enviou ainda mais para dentro da natureza inóspita, em que ele jamais pudera ver qualquer beleza.

Nos meses antes da mudança, Brainerd recebeu convites tentadores de duas congregações para ocupar o posto de pastor. Era o tipo de posição que ele desejava e que lhe havia sido negada com a expulsão de Yale. Isso lhe forneceria o necessário alívio e cuidado para sua tênue saúde física e mental. Apesar disso, os diretores de sua sociedade missionária o dissuadiram de aceitar esses convites, e ele se submeteu, mais uma vez escolhendo "ir em vez de ficar".

Viajou a cavalo pela "região desolada e abominável" até um novo posto.[14] Apesar de o ponto de vista de Brainerd estar, sem dúvida, afetado pela depressão, ele não era o único a achar as florestas da Pensilvânia intimidantes. No século 18, elas eram desafiadoras e difíceis de atravessar. Sem as estradas da Nova Inglaterra a que estava acostumado, Brainerd andou por sobre árvores caídas, rios intransponíveis, pântanos e todo tipo de perigos angustiantes para um cavalo. Uma tristeza familiar desceu-lhe sobre a mente.

Escreveu no diário: "Meu coração às vezes estava prestes a afundar com os pensamentos sobre meu trabalho, e por viajar sozinho em meio ao inóspito, sem saber para onde".[15] Mais uma vez em isolamento, ele se sentia apartado de toda a humanidade: "Sentia-me muito desgarrado de todo o mundo; tudo parecia 'vaidade e aflição de espírito'. Sentia-me solitário e inconsolável, como se tivesse sido banido de toda a humanidade, e privado de tudo o que é considerado prazeroso no mundo".[16] Não somente estava separado dos amigos e companheiros cristãos, mas se sentia também apartado do próprio Deus, sofrendo pela perda da "presença de Deus", como "uma criatura banida de sua vista!".[17]

Identifico-me com os sentimentos de Brainerd. Lembro-me da sensação da ausência de Deus, o silêncio dos céus, a aparente futilidade dos exercícios espirituais. Minhas orações pareciam uma folha de papel fugindo com a brisa, sem propósito, serpenteando, frágeis. Indagava-me por que Deus não aparecia, por que eu não sentia sua presença. Como Brainerd, senti que "não tinha força de orar; perdera o contato com Deus".[18] Indagava-me o que estava fazendo de errado.

A sabedoria de meu orientador psicológico na época penetrou nessa desolação: Se a depressão afetava meus relacionamentos com os amigos e seres amados que eu *podia* ouvir e tocar fisicamente, por que esperava que não afetasse meu relacionamento com Deus, a quem eu *não* podia ouvir e tocar fisicamente? Isso não significava que ele houvesse partido ou mudado, mas apenas que as lentes escuras da depressão afetavam o modo como eu o percebia e minha capacidade de me sentir próxima a ele — assim como acontecia com qualquer outro relacionamento. A depressão estende suas mãos esqueléticas a todas as partes de nós, inclusive nossa vida espiritual. Ela afeta todo o nosso ser.

David Brainerd é um exemplo da vida real de que a máxima tantas vezes empregada, "é só orar mais", não é uma panaceia para a saúde mental, e que uma vida religiosa devotada não é uma apólice de seguro de saúde mental. É difícil imaginar alguém fora de um mosteiro que devotasse mais tempo e energia à vida espiritual do que Brainerd. Ele preencheu a vida com oração, leitura das Escrituras e jejum, mas isso não impediu nem curou sua depressão.

A vida espiritual de Brainerd, tenho certeza, o ajudou a sobreviver nessas lutas, dando-lhe a motivação para seguir adiante, a esperança quando se sentia perdido e a verdade que reinava acima de suas circunstâncias. Mas havia também aspectos em que sua espiritualidade e teologia somaram-se desnecessariamente à depressão e exacerbaram suas crises de saúde mental.

Desde a infância, Brainerd era "extremamente emocional, doentiamente introspectivo, excessivamente meticuloso e sujeito a períodos de sombria depressão".[19] Apesar disso, um de seus mentores aconselhou Brainerd quando jovem a "abandonar a companhia dos jovens e associar[-se] com pessoas mais velhas e sérias". Ler atentamente a Bíblia e passar "muito tempo todos os dias em secreta oração e outros deveres secretos". Escutar e memorizar sermões.[20] Embora nenhuma dessas práticas fosse inerentemente errada, a adição de seriedade, introspecção e solidão dessa espiritualidade não ajudava a melhorar sua tendência à depressão. O próprio Brainerd reconhecia que a solidão levava sua melancolia a se aprofundar: "Acredito que, embora minhas provações internas sejam grandes, a vida de solidão lhes dá mais condições de se estabelecer e penetrar nos recessos mais íntimos da alma".[21] Um mentor mais parecido com Martinho Lutero lhe teria sido mais benéfico — alguém que o estimulasse a fugir da solidão que permitia que seus pensamentos se deteriorassem.

Às vezes é difícil dizer quando Brainerd estava falando de seu estado de depressão e quando estava adotando um estilo aceito de espiritualidade. Frequentemente ele se mostrava oprimido por uma sensação de sua própria "vileza" e inadequação, e sentia-se "ruim demais para andar sobre a terra de Deus, ou ser tratado com bondade por qualquer de suas criaturas".[22] Chamava a si mesmo de "verme indigno".[23] Escreveu:

> Eu tinha os pensamentos mais degradantes sobre mim mesmo. [...] Considerava-me o pior desgraçado que já vivera: magoava-me, e feria-me bem no coração, que alguém mostrasse algum respeito por mim. Ai de mim, pensava, quão tristemente eles estão enganados comigo! Quão terrivelmente se desapontariam, se conhecessem meu íntimo! [...] [Eu] sentia tanta pressão vinda da sensação de minha vileza, ignorância e inadequação em aparecer em público que isso quase me dominava; minha alma sofria pela congregação; que eles se sentassem ali para ouvir um cachorro morto como eu pregando.[24]

Estaria ele falando a partir de sua teologia aceita e da sensação esperada de humildade humana diante de Deus, um tipo de autodepreciação santificada? Viriam seus sentimentos de culpa de uma necessidade genuína de arrependimento? Ou estaria deprimido? O fato de ser impossível saber é preocupante.

Eu diria que, se a cultura espiritual da qual fazemos parte resulta em vergonha incessante, em que ficamos continuamente experimentando sentimentos de falta de valor e culpa sem nenhum sentido de graça, é tempo de reavaliar nossa espiritualidade. Não precisamos apenas de uma mensagem de culpa e aflição a respeito do pecado. Precisamos também escutar a mensagem de que somos filhos de Deus e amados por ele.

Quando estamos deprimidos, nossa mente pode distorcer coisas que, em outras circunstâncias, seriam neutras ou positivas, transformando-as em algo negativo e absoluto.

Tornamo-nos o pior cônjuge no mundo. Estamos destinados apenas ao fracasso. Ninguém nos ama. Esses são alguns dos refrãos que se repetem em nossa cabeça. Não admira, então, que, quando Brainerd entrava em depressão, se tornasse ainda mais pessimista quanto às próprias capacidades e quanto a como Deus poderia usá-lo. Perguntava-se até mesmo por que lhe era permitido viver. O clima espiritual do qual ele fazia parte não parecia lhe oferecer um remédio forte contra esses sentimentos. Ao contrário: apenas aumentava-lhe a insegurança e a culpa.

Enquanto prosseguia de posto em posto sem ver o fruto de seu empenho, ele ficou obcecado com o que percebia como falta de resultados. A mentalidade de avivamento da época com certeza não ajudou nesse ponto, pois sugeria que uma falta de resposta espiritual poderia ser culpa do pregador. Isso apenas o fazia mergulhar ainda mais fundo nos sentimentos de culpa e inadequação. Não conseguia pensar em um horror maior do que ser considerado "estéril" no serviço de Deus. Sua depressão chegava ao auge.

Ele estava também obcecado em não perder um momento sequer, pois seu profundo desejo era ser útil no serviço de Deus, produzir frutos que perdurassem. Aos 24 anos, escreveu: "Eu queria consumir minha vida em serviço [de Deus] e para sua glória".[25] Isso o levou a desejar não precisar dormir, para que pudesse devotar mais tempo ao estudo espiritual ou à oração. E sentia-se culpado quando estava tão fraco que precisava pregar sentado ou tão doente que não tinha forças nem mesmo para ler ou pensar claramente, porque só dispunha de energia para o que considerava "ninharias".[26] Ele queria preencher cada instante com trabalho inequivocamente cristão e não via outro motivo para viver. É como se o pássaro de T. S. Eliot pairasse sobre ele, cantando: "Redima o tempo. Redima o tempo". Seu maior temor era que ele provasse ser inútil e estéril.

Vários meses depois de começar a trabalhar na região do rio Delaware, escreveu:

> Minha alma ansiava desesperadamente pela morte, para ser libertado desse embotamento e esterilidade, e tornar-me para sempre ativo no serviço de Deus. Eu parecia viver para nada, e não fazer nada de bom: e, ah, o fardo que é semelhante vida! Ah, morte, morte, minha gentil amiga, apressa-te e livra-me da tediosa mortalidade, e torna-me espiritual e vigoroso pela eternidade![27]

Por mais admirável que possamos achar a devoção de Brainerd pelo serviço a Deus, por mais verdadeira que possamos considerar sua esperança de paraíso, e por mais que possamos discutir a adequação de alguns aspectos da espiritualidade de que ele fazia parte, não há como não perceber a tragédia em sua voz. Ele chamava a morte de sua "gentil amiga" e a vida de um fardo, e não via razão para continuar vivendo no mundo.

Muitos de nós reconhecemos esse anseio. Conhecemos essa dor, esse cansaço. Conhecemos a sensação desse anseio por finalmente nos desvencilharmos da opressão e das trevas de nossa existência. Como Brainerd, indagamo-nos sobre nossa utilidade, nosso legado. A morte parece uma amiga que nos guiará ao paraíso.

Porém não podemos perder de vista a tragédia de tais pensamentos. Devemos, como Brainerd fez, ir em frente da melhor maneira possível, mesmo quando não temos certeza de por que esse esforço vale a pena. A exemplo de David

Brainerd, curvado e destroçado sobre seu diário, talvez você não veja o fruto de seu trabalho. A depressão pode tê-lo cegado para a bondade que sua vida oferece ao mundo e àqueles a seu redor. Mas, assim como aconteceu com Brainerd, há mais coisas acontecendo além do que seus olhos conseguem ver.

Poucos meses depois, Brainerd confessaria estar "inadequadamente desejoso de morrer", ao escrever: "O que muitas vezes me levava a esse desejo impaciente de morrer era o desespero de não conseguir fazer algo de bom na vida; então eu preferia a morte, em vez de uma vida inútil".[28]

Uma vida inútil. O pior pesadelo de Brainerd.

No momento de menos esperança

Brainerd permaneceu na região do Delaware por um ano, construindo sua segunda casa em uma segunda aldeia de indígenas. De acordo com o relato, ele não percebia uma grande resposta durante essa época, mas continuou a orar para que "Deus abrisse os céus e descesse para a salvação deles".[29] Ele ansiava pela conversão dos indígenas, mesmo que essa possibilidade, em seu modo de ver, desafiasse a razão.

Durante o tempo que ele passou lá, o diário revela trechos da mais profunda depressão. Naquele inverno ele registrou:

> Tive o maior grau de angústia interna como praticamente nunca suportei. Estava completamente abatido, e tão confuso que, depois de começar a discursar para os indígenas, antes que pudesse terminar uma frase, muitas vezes esquecia completamente o que estava querendo dizer; ou se, com muita dificuldade, eu me lembrava do que antes planejara dizer, tudo ainda me parecia estranho, e como algo de que me houvesse esquecido

> havia muito tempo e de que agora tinha apenas uma lembrança imperfeita. Sei que havia uma boa dose de confusão, causada por perturbações, melancolia, deserção espiritual.[30]

Não conseguia pensar com clareza. Seu corpo, constantemente abatido pelos efeitos da tuberculose, estava lhe falhando. Era como se Deus o houvesse abandonado. Ele conhecia apenas uma coisa que se comparasse a essa tristeza: o inferno. Quando cessava, ele vivia com medo que retornasse.

Apesar dessa depressão, Brainerd vivenciou alguns acontecimentos importantes e belos durante seu tempo naquela região. Primeiro, ainda que as leis em Connecticut excluíssem qualquer esperança de que pudesse ser ordenado, a situação política e eclesiástica de Nova York permitiu que ele desse o passo pelo qual ansiava — a ordenação — uns poucos meses depois de seu vigésimo sexto aniversário. Ficou tão impressionado com a "grandeza do encargo que estava prestes a receber" que não conseguiu dormir na véspera da cerimônia.[31]

Brainerd também iniciou expedições missionárias ao Susquehanna, uma terra ainda amplamente intocada pelos colonos brancos. Essas viagens ocasionais por trilhas perigosas, em fila indiana, através de densos arbustos e altas árvores, prosseguiram até o fim de seu ministério.

O acontecimento mais importante do período de Brainerd na região do Delaware foi a conversão de seu intérprete, Tatamy. Desde a chegada de Brainerd, Tatamy havia-se mostrado experiente e confiável, mas Brainerd muitas vezes se sentia frustrado e desencorajado por ele, chegando a chamá-lo de um "penoso peso e fardo".[32] Por mais que Tatamy quisesse que seu povo "se adaptasse aos costumes do mundo cristão", ele não gostava muito de religião experiencial ou "verdades divinas" e não tinha muita esperança de que seu povo pudesse mudar.[33] Com certeza não ajudava que esse já fosse o caminho sem esperanças que a própria mente de Brainerd costumava trilhar.

Tudo isso mudou quando Tatamy se converteu. Em vez de um desencorajador, ele se tornou um aliado. Enquanto antes ele meramente repetia as palavras de Brainerd, agora se mostrava passional ao traduzir, às vezes continuando a pregar muito tempo depois de Brainerd terminar seus sermões.[34] Apesar de Brainerd alegar que essas extensões de seus sermões eram simplesmente Tatamy reiterando suas palavras, creio que é mais provável que Tatamy estivesse pregando também por conta própria. Infelizmente, jamais leremos esses sermões de um dos primeiros indígenas evangelistas a seu povo.

Tatamy e sua esposa foram os primeiros irmãos e irmãs indígenas em Cristo que Brainerd batizou. Ele continuou com Brainerd quando este se mudou para o próximo posto e, segundo a opinião geral, foi fundamental para o sucesso de Brainerd.

Nos meses que se seguiram a seu vigésimo sétimo aniversário, Brainerd deixou a região e voltou novamente a Crossweeksung, em Nova Jersey. A comunidade Lenni Lenape em Crossweeksung era uma entre diversas comunidades pequenas e espalhadas que haviam feito parte de uma grande nação, que os ingleses chamavam "os Delaware". Cercados de todos os lados e sem acesso à caça, à coleta ou às terras agrícolas ancestrais, eles tinham pouco acesso à comida. Os colonos brancos haviam destruído seu estilo de vida tradicional.

O pequeno grupo de mulheres que Brainerd encontrou em sua chegada logo aumentou em tamanho,[35] e ele pregou para a multidão crescente não com táticas intimidatórias, mas falando das "misericórdias de um Salvador que morria".[36] Brainerd descreveu o que aconteceu a seguir na linguagem do avivamento.[37] Jovens e idosos e pessoas de todos os tipos eram levados pela maré. Líderes e crianças pequenas se arrependiam, assim como um homem que era um "assassino, um *Powwow* [líder espiritual] ou feiticeiro, e um notório alcoólatra".[38] Vidas e comportamentos transformados comprovavam almas genuinamente convertidas, à medida que o avivamento tomava a comunidade e todos que eram convidados a ouvir.

Brainerd admirou-se de presenciar exatamente aquilo por que sempre ansiara. Aconteceu, observou ele, "em um tempo em que eu menos tinha esperança e, no meu entendimento, menos expectativa racional de sucesso".[39] Podemos perceber seu espírito exultar quando ele escreve em seu diário. Deus está operando. Ele não é espiritualmente impotente. Existe fruto.

Menos de um mês depois do início do avivamento, Brainerd batizou 25 indígenas convertidos. Na época em que deixou Crossweeksung, 85 membros batizados da congregação de Brainerd estavam recebendo a Comunhão, o que, com base na teologia e nas práticas espirituais de Brainerd, significava que ele acreditava que eles haviam sido genuinamente convertidos. Ele chegara sem esperanças, mas partia deixando atrás de si uma pequena igreja. Mesmo antes da partida de Brainerd, era uma igreja que orava e adorava de livre e espontânea vontade, e uma igreja que Brainerd chamou a se juntar a ele como companheiros evangelistas em sua viagem para Susquehanna.

À medida que a pequena congregação indígena crescia, Brainerd via as dificuldades de permanecer em Crossweeksung. Quando chegara, havia apenas umas poucas famílias, mas esse número continuava a crescer. Cercada por colonos brancos de todos os lados, a comunidade precisava de espaço. Então ele concebeu um plano para transferir os indígenas para Cranberry, em Nova Jersey.

Seus planos, mais uma vez, revelam a tensão em sua compreensão dos indígenas e em sua relação com eles. Ele procurava ser seu defensor, mas não percebia ao que estava lhes pedindo que renunciassem e não conseguia entender a resistência a assimilar um padrão cultural branco. Todavia, depois de muita resistência, a comunidade indígena decidiu se mudar, e assim que concordaram, tudo aconteceu muito rápido.

Brainerd construiu sua quarta e última casa nessa nova comunidade em Cranberry, mas não permaneceria ali muito tempo. A tuberculose, que o atormentara desde os tempos de Yale, estava ficando cada vez mais grave. Às vezes ele não conseguia sair da cama, não conseguia pregar, não conseguia andar a cavalo. Quando sua energia decaiu e o corpo definhou, ele soube que chegara a hora de partir.

"Que eu não sobreviva à minha utilidade"

Em meio a muitas lágrimas, Brainerd se despediu de sua congregação e partiu a cavalo para a Nova Inglaterra. Sabia, instintivamente, que não retornaria. Pergunto-me se, enquanto atravessava as florestas e montanhas, ele fixou um cenário em sua mente, gravando-o na memória. Será que pensou em todas as vezes que cavalgara por aquele caminho, atravessara aquele rio, passara por aquela povoação?

Em Northampton, Massachusetts, Jonathan Edwards o acolheu no lar de sua família. Enquanto Brainerd ficava mais fraco, a filha de Edwards, Jerusha, cuidava dele. Brainerd morreu ali alguns meses depois. A tuberculose causou a morte de Jerusha poucos meses após a morte de Brainerd, e ela foi enterrada ao lado dele no jazigo da família.[40]

Até o fim, mesmo enquanto sua saúde declinava, Brainerd se preocupou com sua utilidade para Deus e se esforçou para fazer tudo o que estava ao alcance de sua força física. Escreveu e revisou alguns de seus textos anteriores. Quando ficou fraco demais para segurar a caneta ou se sentar na cama, pediu ajuda para continuar o trabalho ditando. Passava também algum tempo incentivando e orientando muitos visitantes — ministros locais, candidatos ao ministério, seus irmãos e até os filhos pequenos de Edwards. Até o dia de sua morte, desejou "não sobreviver à sua utilidade" e usar todo ânimo que recebera para dar glória a Deus.

Apesar de estar em dor excruciante e às vezes delirante, não há sinais de depressão nos últimos dias de Brainerd. Edwards diz que ele chegou a se tornar "mais alegre; como se estivesse feliz diante da aparente iminência da morte".[41]

A cada dia, tornava-se mais díficil para ele respirar. Seu tórax estava rígido, a respiração rasa. Quando fazia algum movimento de modo errado, a dor golpeava-lhe os pulmões. A tentativa de respirar fazia com que os pulmões se agitassem, e uma tosse incontrolável lhe roubava o pouco de respiração, fazendo-o vomitar ou expelir pus. Ele estava se afogando em terra seca.

Suplicava aos amigos que orassem por ele, para que ele não fosse "afrontar Deus com a impaciência", para que ele pudesse suportar a dor nobremente. A ideia de suportar mais tempo era inconcebível. Ele não esperara que fosse tão penoso. "Morrer é diferente do que as pessoas imaginam", contou aos amigos.[42]

Mesmo nesse estado, sentindo mais dor do que achava que podia suportar, seus pensamentos se voltavam à sua querida congregação. Na última noite de sua vida, ficou acordado conversando com o irmão John sobre eles. Após sua morte, seria John que assumiria o ministério em Cranberry.

Um legado de fraqueza fiel

Lendo os diários de Brainerd, vemos repetidamente quão inadequado e "inútil" ele se sentia. Muitas vezes ele perdeu a esperança na capacidade de Deus de usá-lo. Ele se perguntava por que alguém quereria escutá-lo pregar. Chamava a si mesmo de "miserável estéril e inútil". Escreveu sobre sentimentos como esse em seu diário:

> Estava tão vencido pela tristeza que não sabia como viver. Ansiava desesperadamente pela morte: minha alma mergulhou em águas profundas, e a correnteza estava prestes a me afogar. Sentia-me tão oprimido que minha alma estava em um tipo de horror. Não conseguia manter os pensamentos fixos na oração durante um minuto sequer sem agitação e distração; e estava extremamente envergonhado por não viver para Deus. [...] Enquanto me dirigia para pregar aos indígenas, minha alma estava em angústia; eu estava tão abatido pelo desânimo que desesperava de fazer qualquer bem, e fui levado ao meu limite.[43]

Apesar de tudo isso, ele permaneceu. Continuou pregando. Continuou a entrar nos lares dos indígenas e a explicar-lhes o evangelho. Apesar de seus sentimentos, apesar dos murmúrios de desespero, permaneceu e continuou trabalhando tão fielmente quanto podia. Há algo de admirável nisso. Acho que eu teria ficado na cama.

Às vezes, todo o trabalho dele lhe parecia nulo. Outras vezes, ele via Deus se aproximar em sua fraqueza. Após a passagem acima, depois de pregar seu sermão, ele continuou:

> [Eu] me senti um tanto encorajado ao descobrir que Deus me permitiu ser fiel mais uma vez. [...] À noite eu estava revigorado, e consegui orar, e louvar a Deus com serenidade e afeição [...] estava disposto a viver, e ansiava por fazer mais para Deus do que o estado de fraqueza de meu corpo permite. Posso fazer tudo por meio de Cristo, que me fortalece; e, por sua graça, estou disposto a me empenhar e ser utilizado em seu serviço, quando não estou afundado na melancolia e em um tipo de desespero.[44]

Em 1930, poucos anos antes do segundo centenário de sua morte, um historiador religioso afirmou: "David Brainerd morto foi uma influência mais forte sobre as missões indígenas e a causa missionária em geral do que foi David Brainerd vivo".[45] E estava certo. Embora o efeito de Brainerd sobre as comunidades indígenas norte-americanas a que se dedicou nos últimos anos de sua vida tenha sido mínimo,[46] seu ministério influenciaria outros bem mais distantes dele. Ele não conseguia ver isso, em meio a seu desânimo, mesmo com a breve centelha de avivamento que testemunhou.

Quando Jonathan Edwards publicou os diários de Brainerd, ele o imortalizou. Apesar das graves liberdades que Edwards tomou como revisor, devemos agradecer-lhe por haver preservado a vida íntima desse jovem que, de outra forma, seria desconhecido para nós. Como muitos que viriam depois dele, Edwards apresentou Brainerd como um exemplo do ideal de vida cristã.[47] Quase vinte anos depois, John Wesley, um proeminente líder metodista na Inglaterra, editou e republicou o diário de Brainerd do outro lado do

Atlântico e elogiou Brainerd como o pregador ideal.[48] Ele seria depois adotado como o missionário ideal e inspiraria figuras como William Carey (chamado de pai das missões modernas) e Jim Elliot. Em pé junto ao túmulo de Brainerd, Adoniram Judson Gordon afirmou: "Não hesito em declarar que estou agora diante da principal fonte das missões do século 19".[49] Cada faceta da vida e identidade de Brainerd foi apresentada como uma fonte de inspiração e ânimo para uma nova geração de alunos e líderes de ministério, assim como para crentes leigos.

Acredito que a resistência de Brainerd, não seu sucesso, transformou-o em herói para tantos. Edwards observou essa constância:

> A religião [de Brainerd] era [...] como as luzes firmes do céu; que são princípios constantes de luz, embora às vezes ocultos pelas nuvens. [Não era] como uma inundação que flui para longe e amplamente com uma rápida correnteza, arrastando tudo o que surge pela frente, e então seca; e sim como uma correnteza alimentada por fontes vivas, que, ainda que às vezes se ampliem com a chuva e outras vezes diminuam com a seca, permanece uma correnteza constante.[50]

Há algo em sua fraqueza fiel que inspira. Ele mesmo não conseguia ver isso. Tudo o que via era o desânimo e sua própria inadequação. Tudo o que podia fazer era lutar contra os pensamentos depressivos e o anseio de morrer. Tudo o que podia fazer era continuar orando, mesmo quando pensava que Deus lhe havia ocultado o rosto; continuar pregando, mesmo quando se perguntava por que alguém escutaria suas palavras; continuar cavalgando pelo inóspito, mesmo quando não sabia bem para onde estava indo.

De dentro da depressão mais sombria e da fraqueza corporal, Brainerd nos manda uma palavra de encorajamento. "Persista", ele diz. "Mesmo quando se sente desencorajado. Mesmo quando não vê nenhum fruto. Mesmo quando se pergunta se Deus poderia realmente usá-lo. Vá em frente. Continue buscando-o. Persista em seu ministério."

A dedicação de Brainerd é seu maior legado. Ele nos diz que, mesmo em nossa maior fraqueza, no simples ato de colocar um pé diante do outro, Deus ainda pode nos usar.

4
William Cowper

Aceite o resgate da arte e da amizade

As sombras se alongavam. Ele havia observado um raio de sol deslizar pela parede ao longo da tarde. Iluminou o papel, a madeira, um quadro pendurado na parede mais distante, então recuou, deixando as trevas em seu rastro. O raio descreveu a firme marcha do tempo enquanto ele esperava. Sentou-se nas escadas, as mãos descansando sobre as pernas dobradas.

Estava a sós com seus pensamentos e as vozes que lhe faziam companhia. Eles circulavam como feras ao redor da infeliz presa.

O primo Johnson — seu anfitrião, benfeitor e amigo — havia partido de manhã cedo para a igreja. A jornada era longa, mas não havia sido isso o que o segurara em casa, observando enquanto as horas passavam no salão. As portas para tal refúgio lhe haviam sido bloqueadas muito tempo atrás.

Relembrou os dias antes da vinda da palavra que dera origem a seu desespero. Ele fora feliz então, envolto na felicidade do primeiro amor. Mas não era mais assim.

O ar ao redor esfriava à medida que o crepúsculo caía. Por que Johnson não voltara?

Talvez não voltasse naquele mesmo dia. Talvez essa casa se transformasse em seu túmulo. Talvez selassem as portas e ele definharia lentamente no sepulcro da mansão.

Talvez viessem buscá-lo hoje. Finalmente o encontrariam e o levariam embora para a execução e o tormento de fogo. Estavam vindo buscá-lo, e lá estava ele, sem um protetor.

A respiração se acelerou, tornando-se rasa e pesada. Sentia o coração batendo mais rápido sob a fina cobertura da pele. Era o ritmo de um tambor de carrasco.

Ouviu um cachorro latindo a distância, que ecoava o ladrar inaudível das feras que o caçavam — aqueles sabujos espirituais dos períodos de trevas. Mas o latido agora não era do tipo que o perseguia, então ele se viu privado de descanso ou consolo. Vinha da fazenda nas fronteiras das terras de Johnson. Alguém se aproximava.

Seria Johnson? Ou sua perdição? Agarrou o corrimão como se este fosse a última âncora a impedir que fosse arrastado para fora.

Escutou atentamente. Pronto — era o som familiar do cavalo de Johnson, seu grito familiar de saudação. Ele não havia se dado conta de que estivera contendo a respiração. O cachecol estava ensopado de suor.

No cavalete de tortura: primeira depressão

Nos dias em que se sentava ansiosamente nas escadas todos os domingos, William Cowper estava quase com sessenta anos. Já escrevera os poemas e hinos que eternizariam seu nome como escritor inglês. A depressão, e os delírios que a acompanhavam, o haviam incapacitado a ponto de ele ser colocado aos cuidados do jovem primo, John Johnson. Mas esse era o fim da história.

Segundo seu próprio relato, e o daqueles que conheciam a família, Cowper herdara uma tendência à depressão. O irmão, John, o único entre sete irmãos a sobreviver à infância, sofria de depressão também. Cowper havia sido uma criança delicada e experimentado o que descreveu como uma "fraqueza de espírito, incomum em minha idade".[1] A perda da mãe poucas semanas antes de seu sexto aniversário, uma perda ainda intensamente sentida décadas depois, pode ter contribuído para isso,[2] assim como ter sido enviado para longe de casa à escola e às impiedosas intimidações de um colega de classe mais velho. Mas a sensibilidade da infância de Cowper também pode ter sido um sinal de sua tendência à depressão desde a infância.

Cowper descreve seu primeiro caso agudo de depressão em uma lembrança breve, mas vívida, de sua vida na juventude. Aconteceu durante os tempos de universidade, quando ele tinha vinte e poucos anos e estudava Direito:

> Fui tomado, não muito tempo depois de me estabelecer no Temple, de tal tristeza de espírito que só aqueles que já sentiram o mesmo poderiam minimamente conceber. Dia e noite eu estava no cavalete de torturas, prostrado em horror, e em desespero crescente. Hoje em dia, perdi todo o gosto por aqueles estudos, aos quais outrora me apegara fortemente; os clássicos já não me encantavam.[3]

Encontrou consolo nos poemas de George Herbert e em um conjunto de orações que escreveu para si mesmo, apesar de não ser especialmente religioso naquela época. Uma viagem com amigos ao litoral por fim lhe trouxe algum alívio. Enquanto esteve junto ao mar, as trevas se dissiparam. Escreveu: "Senti o peso de toda minha angústia ser removido; meu coração se tornou leve e alegre em um instante; eu podia ter chorado de alegria se estivesse sozinho".[4] A princípio ele acreditou que esse alívio era a resposta de Deus às suas orações, mas logo o atribuiu meramente à mudança de cenário. Quando voltou a Londres, queimou as orações que havia escrito.

Por volta dessa época, o romance desabrochou para Cowper na graciosa forma de sua prima, Theodora. Apaixonaram-se profundamente um pelo outro, e o namoro transbordou em frutos do amor juvenil — cartas, visitas secretas, poesia amorosa.[5] Prometeram se casar — e então o pai dela interveio. Não sabemos a natureza exata de suas objeções. O parentesco próximo era uma preocupação, assim como, possivelmente, a saúde mental de Cowper e sua falta de posses. Qualquer que tenha sido a razão, o pai de Theodora forçou-os a romper o noivado, deixando ambos desolados.

Theodora nunca se casou e, ao que parece, nunca esqueceu William. Mais de trinta anos depois do final do relacionamento, Cowper começou a receber bilhetes e presentes de alguém "anônimo". A maioria dos estudiosos acredita que o anônimo era a antiga amada de Cowper, Theodora, enviando-lhe secretamente lembranças de sua persistente afeição.[6]

Menos de um ano depois do rompimento dramático entre Cowper e Theodora, um dos amigos mais queridos de Cowper, William Russell, morreu tragicamente. Na esteira desses desgostos, Cowper escreveu este poema:

Na solidão perco o instante presente
E lamento o passado tristemente;
Roubado da alegria mais prezada,
Do amigo apartado, e longe da amada;
Não chame essa dor que me toma assim,
Um mero efeito de humor ou de *spleen*![7]

A perda de duas pessoas a quem amava cobriu o mundo de Cowper com um nevoeiro cinzento. Ele insistia, no entanto, em que essa depressão não estava enraizada no temperamento mórbido de seu corpo ("o efeito de *spleen*"), mas nas circunstâncias penosas da vida. Conhecia o bastante de si mesmo para diferenciar entre os dois.

Ele se recuperou dessa dor sem uma crise de saúde mental substancial. Mas o "trem negro, infernal" iria, mais uma vez, "invadir-lhe cruelmente o cérebro"[8] e ameaçar-lhe a sanidade — e dessa vez não seria fácil se recuperar.

Boca faminta do inferno: suicídio, loucura e graça

Na época em que Cowper se formou e se tornou um novo membro do Inner Temple (uma das associações profissionais dos advogados e juízes de Londres), ele havia gastado boa parte de sua herança e precisava de emprego.[9] Um emprego, em particular, o atraiu — o de secretário do setor de registros na Câmara dos Lordes. Sabendo que o tio poderia obter-lhe uma entrevista se houvesse uma vaga, desejou seriamente que o homem que ocupava o cargo no momento morresse. Quando o homem morreu, de fato, um curto tempo depois, Cowper recebeu de repente uma oferta de emprego.

O que Cowper não previu foi como as tensões políticas daquela época interfeririam em uma entrevista de emprego rápida e fácil. Os membros do partido de oposição questionaram a capacidade de seu tio de indicar Cowper e exigiram que este passasse por um exame meticuloso diante de uma banca.

Cowper, terrivelmente tímido e receoso de ser o centro das atenções, afirmou: "Um raio teria sido igualmente bem-vindo para mim".[10] A mera ideia de se apresentar diante da Câmara dos Lordes o aterrorizava. Escreveu: "Aqueles cujo espírito é formado como o meu, para quem uma exibição pública de si mesmo, em qualquer ocasião, é um veneno mortal, terão alguma ideia dos horrores de minha situação".[11] E se fizesse papel de bobo? Certamente iria fazer. Não conseguiria passar por aquilo. Mas se não fosse, envergonharia o tio e lhe traria mais descrédito. O que fazer?

Cowper se lançou aos estudos para o exame, mas a ansiedade o invadiu a tal ponto que não conseguia se concentrar nas palavras que lia. Cada caminhada até o escritório para estudar era como andar rumo ao cadafalso.[12]

Com o aumento das pressões, Cowper se sentiu aprisionado. A depressão, crescendo devagar, caiu sobre ele com violência. Ele se afastou dos amigos e trancou-se em seus aposentos. Desesperado por uma escapatória, Cowper se convenceu de que a única solução para seus problemas seria tirar a própria vida.

Lembrou-se do dia em que o pai lhe pedira para ler uma defesa de suicídio. Aos onze anos, Cowper argumentara contra o suicídio. O pai havia assistido em silêncio, desesperado por encontrar um modo de lidar com o suicídio recente de um amigo querido. Agora aqueles argumentos lhe voltavam. Mesmo que ele estivesse certo quando criança em sua defesa da vida, e mesmo que a Bíblia fosse verdadeira e seus ensinamentos fossem contra o suicídio, ele pensou que "a desgraça no próprio inferno seria mais suportável" do que a tortura atual.[13]

Na noite antes do exame, fez diversas tentativas de suicídio, mas todas as vezes, felizmente, algo aconteceu para impedir-lhe os planos. Algumas dessas intervenções foram quase milagrosas.

Por fim, lançando o veneno para fora pela janela e com profundas marcas vermelhas formando-se ao redor do pescoço pela tentativa de estrangulamento, ele chamou o tio, que lhe disse que ele jamais assumiria o cargo naquelas condições. Cowper escapou do exame diante da Câmara dos Lordes, mas agora enfrentava demônios ainda mais ferozes — aqueles da mente.

O poema "Versos escritos durante um período de insanidade" descreve seu estado atormentado durante essa época:

> Ódio e violência, eterno quinhão,
> Que não demore minha execução,
> Espero, pronto e impaciente, que me levem
> A alma num instante.
>
> Abaixo de Judas: bem mais detestado,
> Ele, que por tostões vendeu o Mestre.
> Duas vezes Jesus traí eu, delinquente,
> Sou o mais profano.
>
> Repudiado por todos e por Deus;
> O inferno abrigará minha desgraça
> Mantendo as bocas sempre famintas
> Fechadas para mim.
>
> Difícil! Cercado por mil perigos;
> Cansado e trêmulo com mil terrores;
> Sou chamado a receber uma sentença
> Pior que a de Abirão.
>
> *Ele,* o castigo da feroz justiça
> Tragado e engolido pelo pó;
> *Eu,* em um túmulo carnal enterrado
> Acima da terra.[14]

"Enterrado acima da terra." Conheço poucas metáforas melhores para descrever como nos sentimos na depressão.

Cowper ficou deitado na cama, aterrorizado com a morte e com não morrer. Tinha certeza de que todos zombavam dele nas ruas. Jantava sozinho, escondido no canto. Os amigos pararam de visitá-lo. Muitas daquelas amizades jamais seriam recuperadas. Pesadelos espantavam-lhe o sono fugidio.

Então começaram as vozes. Elas diziam que ele era culpado de um pecado imperdoável. Diziam que não havia esperança. Ele estava sob a ira divina. A vida só era valiosa como uma breve suspensão no julgamento de Deus e nos fogos do inferno. Seus pensamentos se tornaram "desordenados e incoerentes", presos em "estranhas e horríveis trevas". Seu cérebro doía fisicamente.[15]

O irmão dele estava no quarto para ver essa transformação e declínio na loucura enquanto a mente de Cowper rompia com a realidade. John o levou para um pequeno manicômio chamado St. Alban, dirigido por um bondoso cristão chamado Dr. Cotton. Cowper teve a felicidade de não ir parar em Bedlam, o célebre manicômio da época, um lugar abominável. Em St. Alban, ele era um entre poucos pacientes, sob o cuidado compassivo e competente do Dr. Cotton. Mas, apesar disso, a depressão e os delírios continuaram. "Come e bebe, pois amanhã estarás no inferno" se tornou seu mantra.[16]

Após cerca de sete meses aos cuidados do Dr. Cotton, Cowper recebeu uma visita de John. Este não viu sinais encorajantes de melhora. Cowper declarou que estava "tão bem quanto o desespero me permite".[17] Vendo a persistente crença do irmão de que estava fora do alcance da misericórdia de Deus, John lançou-se em uma forte discussão para convencer o irmão de que aquilo era um delírio. Milagrosamente, aquelas palavras penetraram na neblina escura que aprisionava a mente de Cowper: "Algo como um raio de esperança foi lançado em meu coração. [...] Algo parecia sussurrar-me a todo o momento: 'Ainda há misericórdia'".[18] Pela primeira vez, Cowper começou a mostrar certa melhora. A vida começou a ter um pouco de alegria.

Poucos dias depois, ele encontrou uma Bíblia aberta em Romanos.[19] Quando Cowper leu as palavras de Paulo em Romanos 3, algo dentro dele se agitou: "Em um instante acreditei, e recebi o evangelho. [...] Se o braço do Todo-Poderoso não me amparasse, acho que teria morrido de gratidão e alegria. [...] Só consegui erguer os olhos para o céu em temor silencioso, tomado de amor e admiração".[20] O sono ainda lhe escapava, mas agora se devia a uma profunda alegria.

O Dr. Cotton o supervisionou de perto, temendo que essa súbita mudança emocional fosse apenas outro lado da doença mental e que ele pudesse cair em um "frenesi fatal".[21] No fim, contudo, o comportamento de Cowper o convenceu de que se tratava de uma conversão sincera e uma genuína cura mental. Cowper permaneceu com ele durante mais um ano após essa recuperação, e os dois conversavam frequentemente sobre sua fé mútua.

Pouco tempo depois que Cowper deixou St. Alban, ele escreveu uma carta a sua querida prima e correspondente constante, Lady Hesketh, expressando gratidão pelo fato de que seu colapso mental o tivesse levado a Deus: "Minha aflição me ensinou um caminho para a felicidade que, sem ela, talvez eu nunca tivesse encontrado; e sei, e tenho experiências disso todos os dias, que a misericórdia de Deus, para aquele que se crê objeto dela, é mais do que suficiente para compensar a perda de qualquer outra bênção".[22]

A recém-encontrada fé e aceitação do evangelho por parte de Cowper desempenharam papel importante em arrancá-lo do primeiro episódio de depressão profunda. A mensagem de amor de Deus para ele e a misericórdia de Deus foram o remédio de que sua mente e coração precisavam. Podemos nos alegrar com ele por isso, mesmo que isso não aconteça com todos nós. Basta que olhemos para o restante da vida de Cowper para ver que, embora nessa oportunidade sua vida espiritual e conversão tivessem sido a "cura" para a depressão, elas não resolveram tudo, e não seriam a solução para sua depressão recorrente no futuro.

Caminhos misteriosos: o hinista deprimido de Olney

Cowper deixou o Dr. Cotton e St. Alban determinado a nunca mais voltar ao caos de Londres. O irmão arranjou para que ele fosse viver em Huntingdon. Apesar de solitário a princípio, "um viajante em meio a um deserto inóspito",[23] ele logo encontrou a família Unwin e se mudou para sua casa como pensionista.

William Unwin, o filho, tornou-se como um irmão para Cowper e um amigo para toda a vida. A Sra. Unwin, apenas alguns anos mais velha do que ele, tornou-se como uma segunda mãe. Durante mais de trinta anos, ela foi sua devotada companheira, amiga e cuidadora durante os períodos de depressão. Firmemente integrado à família, Cowper permaneceu quando o Sr. Unwin morreu de modo repentino, dois anos depois.

Pouco tempo depois da morte do Sr. Unwin, a Sra. Unwin e Cowper encontraram um dedicado pastor chamado John

Newton. Procurando ficar sob sua orientação espiritual, eles se mudaram para a paróquia dele em Olney, para uma casa chamada Orchard Side, e fizeram dela seu lar durante os vinte anos seguintes. Um caminho atravessando o pomar levava da casa até um pequeno portão na casa de Newton. À medida que a amizade de William com John e Mary Newton se aprofundava, o caminho passou a ser bastante usado para a troca de visitas. Quase nenhum dia se passava sem que eles se vissem. Essa foi uma das temporadas mais felizes da vida de Cowper.

Em Huntingdon e Olney, ele levou a vida calma de um recluso. Sua vida era simples, e sua natureza tímida e sensível apreciou o isolamento daquelas cidadezinhas e seus arredores campestres. Passava horas caminhando pelos bosques e campos e fitando o rio Ouse. Vemos as imagens de suas caminhadas e calmo retiro disseminadas em sua poesia. Embora às vezes, com certeza, aquilo lhe desse prazer, ele também diz: "É o lugar em todo o mundo que mais amo, não por qualquer felicidade que me proporcione, mas porque aqui posso me sentir infeliz do modo que me é mais conveniente e perturbando os outros ao mínimo".[24]

Apesar de ele não haver afundado nas mesmas profundezas de antes, a depressão de Cowper ainda apresentava altos e baixos. John Newton, buscando encontrar algo para manter Cowper ocupado, sugeriu que escrevessem uma coleção de hinos. Uma das contribuições de Newton para os *Hinos de Olney* tornou-se o hino mais famoso de todos os tempos: "Amazing Grace" [Maravilhosa graça]. Cowper escreveu mais de sessenta hinos para o volume, alguns dos quais ainda aparecem em hinários atualmente, como aquele que se inicia com o verso "Achei a fonte carmesim que meu Jesus abriu na cruz; morrendo ali por mim, minha alma redimiu".

Será que Cowper estava pensando nos tempos de sua estadia no manicômio quando o escreveu? Terá sua mente filtrado as lembranças das muitas tentativas de pôr fim à vida? Será que ele se regozijou novamente com o amor redentor que o encontrou?

Certo inverno, Cowper retornou depois de uma de suas caminhadas pelo campo para escrever outro hino. Não conseguiu afastar uma premonição da insanidade da depressão voltando com força. Dez anos haviam se passado desde o episódio que o enviara a St. Alban. Ao ler suas palavras, vejo-o agarrando-se à fé, pregando para si mesmo.

Deus age misteriosamente,
Maravilhas germina;
Deixa no mar sua marca ingente,
Tempestades domina.

No fundo de insondável mina
De imensa habilidade,
Seus belos projetos confina,
E opera sua vontade.

As nuvens de que sentis medo —
Ó vós, medrosos santos,
Coragem! — lançarão bem cedo
Mil bênçãos sobre tantos!

Ao nosso Deus não julgueis mal
Em sua graça exulta:
Por trás da carranca, afinal,
Um sorriso se oculta.

O plano irá amadurecer,
Crescerá em seu fulgor;
Amargo o botão pode ser
Mas será doce a flor.

A cega descrença anda a esmo,
Critica a obra em vão:
Só Deus interpreta a si mesmo
E o fará claro então![25]

Esse hino, "Uma luz brilhando nas trevas", inaugurou a frase que agora escutamos mais frequentemente como "Deus age misteriosamente". Hoje em dia, é usada de uma forma superficial, mas me pergunto se a encararíamos de outra maneira e se usaríamos esse clichê de modo diferente se nos lembrássemos do contexto de que veio. A vida de Cowper e a depressão que sentia iminente enquanto escreveu esse hino acrescentam um tom mais rico, mais cheio de fé à frase. Deus opera em formas misteriosas, com efeito, mas às vezes isso vem da dor e de perguntas não respondidas para as quais só podemos confiar nele como o "intérprete" de si mesmo.

Esse seria o último hino que Cowper escreveria na vida, e sua última obra criativa durante quase sete anos. Pouco tempo depois, Cowper desceu a uma "insondável mina" da qual jamais se recuperaria plenamente, e perderia a visão do "sorriso" no rosto de Deus pelo resto da vida. Realmente, só Deus seria capaz de interpretar o desalento que Cowper experimentaria, e Cowper nunca teve o privilégio de ouvi-lo deste lado do túmulo.

À medida que a depressão o invadia mais uma vez até o âmago, Cowper perdia rapidamente o contato com a realidade.

> De repente fui reduzido de minha parcela habitual de compreensão a uma imbecilidade quase infantil. Não perdi de fato a razão, mas perdi o poder de exercitá-la. Conseguia produzir uma resposta racional mesmo diante de uma pergunta difícil, mas era necessário que houvesse uma pergunta, senão eu nunca falava. Esse estado mental era acompanhado, como suponho haver outros exemplos semelhantes, por uma interpretação errada das coisas e das pessoas que me transformava em um paciente bastante intratável. Acreditava que todos me odiavam, e que a Sra. Unwin me odiava mais do que todos; estava convencido de que minha comida estava envenenada, junto com dez mil fantasias do mesmo tipo. [...] Ao mesmo tempo que estava convencido da aversão da Sra. Unwin por mim, eu não conseguia tolerar outra companhia.[26]

Após meses recusando-se a sair de casa, certo dia Cowper fez o familiar passeio atravessando o pomar até a casa de Newton. Permaneceu lá durante dezoito meses. Após tentativas inúteis de convencê-lo a voltar para casa, a Sra. Unwin se mudou para lá também a fim de cuidar dele. Newton constituía uma esperança de recuperação para Cowper e, de boa vontade, dava-lhe amor e cuidados também.[27] Ansiava pela cura e pelo retorno da sanidade de Cowper — tanto para o bem de Cowper quanto do seu:

> É evidente que o Senhor o enviou a Olney, onde ele tem sido uma bênção para muitos, uma grande bênção para mim. O Senhor contou os dias em que me indicou que esperasse por ele nesse vale sombrio, e nos deu tanto amor por ele como crente quanto como amigo que não me sinto cansado; mas, sem dúvida, sua recuperação seria para mim uma das maiores bênçãos que meu pensamento consegue conceber.[28]

John e Mary viram uma lenta melhora no estado de espírito de Cowper e decidiram fazer uma viagem a Warwickshire. Os conselhos médicos a longa distância do Dr. Cotton convenceram-nos de que Cowper poderia ser deixado a sós. Não sabiam, contudo, do delírio mais recente de Cowper. Ele acreditava que havia sido informado da vontade de Deus: Deus queria que ele lhe oferecesse um sacrifício como Abraão, mas em vez de oferecer o filho, deveria oferecer a si mesmo. Enquanto os demais estavam longe, ele tentou o suicídio, acreditando, tristemente, que estava executando um ato de obediência e dedicação a Deus. Felizmente, foi encontrado e sua vida foi poupada. John e Mary correram de volta para casa assim que receberam a notícia. Nunca mais o deixaram a sós, até ele deixar sua casa, tão repentinamente quanto chegara, com a razão praticamente intata.

Esse episódio e esse delírio particular assombraram Cowper pelo resto da vida. Pouco tempo depois dessa tentativa de suicídio, ele acreditou ter ouvido uma "palavra" de Deus em um sonho. Embora não saibamos exatamente qual foi a mensagem, Cowper a resumiu depois como "*Actum est de te, periisti*": "Tudo acabou para ti; pereceste". Cowper entendeu como sendo uma promessa da perda irrecuperável da graça de Deus, selando-lhe o destino como o de um condenado, tudo em razão de sua falha em demonstrar total obediência à ordem de Deus para pôr fim à vida.

Cowper nunca se livrou dessa crença ou da desesperança que a acompanhava. Cerca de dez anos depois, lemos em uma carta a John Newton por ocasião do Ano Novo:

> Rememoro [...] [o ano que findou], como um viajante relembra um local inóspito, pelo qual passou com cansaço e aflição

> no coração, sem colher outro fruto desse labor além da pobre consolação de que, por mais sombrio que fosse o deserto, ele deixara tudo atrás de si. O viajante acharia até esse consolo consideravelmente reduzido, se, assim que ele houvesse passado pelo local inóspito, outro de igual extensão, e igualmente desolado, o esperasse. [...] Eu poderia me alegrar, de fato, que o velho ano houvesse findado, se não tivesse todas as razões para profetizar um novo ano semelhante a ele. [...] [Nenhum acontecimento do Ano Novo] surge como mensageiro de boas-novas para mim. Se até a própria morte estivesse entre elas, ela não é minha amiga. [...] Tomada como está minha vida pelo desespero, não tenho esse consolo que resultaria de uma suposta probabilidade de melhores coisas por vir quando tudo terminar. Pois, mais infeliz do que o viajante que citei no início, por mais dificuldades que eu possa atravessar, por quaisquer perigos e aflições, não estou nem um milímetro mais perto de casa, a não ser que um calabouço possa ser assim chamado.[29]

Encarava a vida como uma escravidão constante. A esperança o abandonara na terra. Iria abandoná-lo no além. Não consigo imaginar tal desespero. A certeza tenaz de sua crença faz meu coração chorar.

Os outros amigos de Newton e Cowper apegavam-se à esperança, mesmo que Cowper não o fizesse. Tentavam persuadi-lo a pensar diferentemente. Lembraram-no do evangelho. Empregaram as Escrituras. Atribuíram essas crenças a um delírio. Mas de nada adiantou. A carta de Ano Novo de Cowper prossegue: "Você me dirá que esse gelo sombrio será sucedido por uma alegre primavera, e tentará me encorajar a esperar uma mudança espiritual que se assemelhe a ela; mas será esforço perdido. A natureza revive; mas a alma uma vez destruída não vive mais".[30]

Cowper acreditava na verdade do evangelho. Lembrava os outros dessas verdades e oferecia-lhes belas palavras de ânimo. Vemos isso seguidamente em suas cartas. Ele também sabia que os amigos achavam que os motivos de seu desespero eram infundados, mas, ainda assim, não achava que o evangelho fosse verdadeiro em seu caso.

Parou de orar porque acreditava que fosse uma violação da vontade de Deus. Às refeições, ficava sentado enquanto se dava graças, garfo e faca nas mãos, declarando com firmeza que não era parte dessa atividade. Também não passava pela porta de uma igreja, porque sentia que apenas despertaria mais fúria contra si. Fazia tudo isso pelo que percebia como sendo submissão à vontade de Deus. Deus é soberano. Ele devia obedecer. Devia se submeter à sua própria exclusão da graça: "Deus age misteriosamente, e não presta conta de seus assuntos [...]. Há um mistério em minha destruição, e no tempo certo isso será explicado".[31]

Embora anteriormente em sua vida essa crença na soberania de Deus lhe houvesse trazido esperança, mais tarde ele admitiu que, em alguns momentos, ela o fazia sentir "um desejo de que eu nunca houvesse existido, um espanto de que exista, e um ardente, mas desesperançado, desejo de não existir".[32]

Viveu com esse desespero durante os últimos vinte anos de vida. Essa desesperança corrosiva e incessante convenceu Cowper de que o amor de Deus não era para ele. Isso torna sua história a mais triste deste livro.

Alguns de nós, pela graça de Deus, encontramos alívio da depressão por longos períodos. Para outros, como nosso amigo William Cowper, ela é um espectro incessante. Ouvimos com frequência histórias de cura e "vitória" sobre o "Cão Negro" no tempo pretérito. Mas precisamos também ouvir histórias de "ainda não". É por isso que a história de Cowper é tão importante, apesar de ser trágica e difícil de suportar. É uma história da obra firme, prolongada, invisível de Deus — mesmo em alguém que estava convencido de que Deus o abandonara. É uma história sobre encontrar brechas de alegria e propósito na presença da depressão crônica. É uma história de sobrevivência. É uma história de fé sem qualquer visão.

No final da vida, em uma temporada afligida por pesadelos, Cowper compartilhou um sonho com um vislumbre dessa fé: "Sonhei cerca de quatro noites atrás que, caminhando não sei onde, de repente vi meus pensamentos atraídos para Deus, quando olhei para cima e exclamei: 'Eu te amo, mesmo agora, mais do que muitos que te veem diariamente'".[33] Ah, ter uma fé como essa!

Ele não conseguia "ver" os caminhos de Deus. Ele nem mesmo acreditava que Deus ainda o amava. Entretanto, sua fé persistiu. Seu amor por Deus persistiu nas trevas.

Precisamos dessas histórias que se recusam a nos deixar saltar para um final feliz. Precisamos que elas nos paralisem com a dolorosa tensão do "ainda não". Devemos permanecer com essa dor, dar testemunho dela e manter a vigília para a redenção que ainda está por vir.

O melhor remédio: a poesia como escapatória

Depois do segundo colapso mental de Cowper, ele ficou deprimido em certa medida pelo resto da vida. Essa depressão crônica, de leve a moderada, era pontuada por episódios específicos de depressão severa, em que Cowper não conseguia funcionar, sofria de psicoses e tentou se suicidar várias vezes.

Janeiro, em particular, era um mês terrível. Foi o mês em que sua depressão voltou enquanto estava em Olney, e o mês em que as trevas desceram sobre ele e ele perdeu para sempre a sensação do favor de Deus. Ele o temia como um presságio de maldição, mas também encontrou formas de suportá-lo, dia a dia, noite a noite, mesmo quando sentia como se vivesse "em situação precária".[34]

Cowper descobriu medicamentos que o ajudavam a lidar com as aflições físicas e mentais.[35] O láudano o ajudava a dormir. A sangria visava restaurar o equilíbrio dos humores. Cascas de árvore e pós diversos ajudavam a combater as dores de cabeça e a melhorar o ânimo. As opções estavam longe de ser tão sofisticadas quanto as opções médicas de que dispomos hoje, mas Cowper empregava o que lhe estava ao alcance para se manter tão saudável quanto possível física e mentalmente.

Ele também desenvolveu uma consciência profunda de sua necessidade de ficar ocupado. "Divertimentos são necessários", disse certa vez a William Unwin.[36] Precisava encontrar modos de permanecer ocupado para manter os pensamentos depressivos afastados, para se distanciar da trilha sonora melancólica que não parava de tocar em sua mente.

Apesar de seus esforços, ainda sucumbia a temporadas em que a depressão era tão profunda, tão exaustiva que ele não conseguia sair de casa. Permanecia sentado, em silêncio, as mãos imóveis, o corpo paralisado. Mas, assim que mostrava qualquer melhora, por menor que fosse, começava a fazer algo, e essas atividades eram tanto sinais de recuperação quanto parceiras nesse processo.

Cultivou passatempos e se lançou a eles com entusiasmo.[37] Praticava jardinagem. Aprendeu a desenhar. Cuidava de muitos animais de estimação, que, em determinado momento, incluíam três lebres domesticadas, Puss, Tiney e Bess, que viviam em sua casa. Aprendeu carpintaria e construiu objetos, inclusive gaiolas para pássaros e caixas para seus animais de estimação. Gosto de imaginá-lo brincando com as lebres no salão ou na calma companhia do cachorro Beau enquanto caminhava.

Cowper também sabia o valor dos exercícios e tentava reservar tempo todos os dias para respirar ar fresco e se mexer. Em todos os locais em que ele e a Sra. Unwin moraram, ele caminhava obsessivamente. E, tendo experimentado os benefícios terapêuticos dos exercícios e da visão da natureza ao ar livre para seu estado mental, ele insistia com outros que também tinham problemas com a depressão para fazer o mesmo. "Poltronas não são amigas da boa disposição", ele dizia.[38]

Enquanto os passatempos de Cowper se sucediam, um permaneceu constante durante toda a vida. Acima de tudo o mais, William Cowper escrevia. "A tristeza, que (suponho) possa ter impedido muitos de se tornarem autores, fez de mim um", relatou Cowper ao primo vários meses após a publicação de seu segundo livro de poemas, *A tarefa*. Os outros passatempos ajudavam, mas era o trabalho criativo, fecundo da escrita que absorvia e acalmava sua mente.[39]

Escrever não era uma panaceia. A neblina da depressão encobria-lhe tanto a mente às vezes que ele não conseguia fazer nem isso. A pena repousava largada sobre a escrivaninha, a tinta já seca. A cabeça ficava vazia, incapaz de gerar palavras. Quando se tranquilizava o suficiente para conseguir funcionar, no entanto, ele tomava a pena outra vez. Esse ato criativo se tornou uma salvação, seu "melhor remédio".

Escreveu *A tarefa* durante os fluxos e refluxos da depressão. "No ano em que escrevi *A tarefa* (pois a obra me ocupou durante cerca de um ano), eu estava com muita frequência extremamente infeliz", declarou, "e estou em débito com Deus, em boa parte, pelo fato de a obra não ter ficado muito pior."[40]

Lendo a poesia de Cowper, não consigo deixar de notar quanto ela se baseia em lugares físicos. Isso é especialmente verdade a respeito de *A tarefa*. Ele escreve longas descrições líricas de seus passeios no campo. Suas palavras me transportam à calma sagrada dos bosques de inverno. Quando ele escreve sobre seu jardim e estufa sazonal, sinto o cheiro de terra úmida e o aroma doce das flores.

Pergunto-me até que ponto esse enraizamento desempenhou um papel na eficácia da poesia para aliviar a depressão. A depressão o tirava da realidade. Mantinha-lhe a mente enjaulada em um ciclo de pensamentos mórbidos. A natureza, contudo, era tangível, e sua beleza era uma libertação temporária de sua cela na prisão. Estar ao ar livre e então se lembrar dos prazeres terrenos enquanto trabalhava em sua escrivaninha o tirava dos pensamentos e o levava ao mundo físico.

A libertação que a poesia proporcionava, contudo, não se baseava apenas no enraizamento. Os exercícios mentais, a ocupação, a sensação de satisfação ao completar algo que valia a pena — todos esses elementos eram um remédio por mérito próprio.

Cowper também encontrava alívio traduzindo Homero. O trabalho firme era um refúgio:

> Mil vezes fiquei feliz com ele; por mil vezes ele serviu ao menos para divertir minha atenção, em algum grau, de tempestades tão terríveis que, acredito, raramente se permitiu que se abatessem sobre a mente humana. Que meus amigos, portanto, que me desejam um pouco de tranquilidade no desempenho

da mais turbulenta viagem que um marinheiro cristão já fez, se contentem com o fato de que, tendo as montanhas e florestas de Homero a barlavento, eu escape, sob seu abrigo, da força de muitas rajadas que teriam quase me derrubado; especialmente quando considerarem que, não por escolha, mas por necessidade, eu faço *delas* meu refúgio.[41]

Às vezes o remédio da poesia vinha na forma de uma boa história. Em um dia de janeiro, preso em outra maldição ameaçadora, Cowper parou de falar e responder. Seus queridos amigos, a Sra. Unwin e Lady Austen, tentaram desesperadamente tirá-lo da beira do abismo. Certa noite, ao redor da lareira do salão, Lady Austen contou-lhe a história das aventuras de John Gilpin, enfeitando-a dramaticamente ao ver que ele começava, aos poucos, a prestar atenção, notando o brilho voltar-lhe aos olhos, escutando-o rir novamente. Ele ficou acordado a noite toda iniciando um poema. Ironicamente, o poema que emergiu, "A divertida história de John Gilpin", foi o mais cômico que ele criou. Seu prazer e sensação de realização atrasaram o início da próxima crise de grandes proporções.

Apesar da contínua depressão, Cowper conseguia ser divertido e jovial. Vemos isso nos dramáticos contratempos de John Gilpin, nas cartas e em breves poemas ocasionais que escrevia aos amigos. Ele era um interlocutor envolvente, capaz de deliciar uma mesa de amigos com suas histórias e "criar uma história divertida do *nada*".[42]

Ele admite que às vezes essa jovialidade era fingida:

Se eu brinco, e meramente brinco, é porque sou reduzido a isso por necessidade — uma melancolia, que nada dispersa de modo tão eficaz, leva-me às vezes à árdua tarefa de ser alegre à força.

> E, por estranho que possa parecer, os versos mais engraçados que já escrevi foram escritos no estado de espírito mais triste, e, se não fosse por esse estado de tristeza, talvez jamais os houvesse escrito.[43]

Talvez alguns leiam a poesia de Cowper e concluam que, enquanto ele estava escrevendo, não podia estar deprimido. Mas, com a exceção de suas crises mais profundas, era a poesia que o impedia de soçobrar. Ela lhe dava motivos para se levantar de manhã. Dava-lhe um sentido de propósito. Dava-lhe um canal para o qual dirigir os pensamentos. Mantinha-o vivo.

Não sou poeta, mas entendo o impulso de Cowper de continuar em ação. A inação só proporcionava aos meus pensamentos águas paradas para apodrecer. E, no entanto, ação e esforço iam contra tudo o que a depressão estava fazendo comigo. Eu queria dormir. Queria desaparecer do mundo. Contudo, sabia que, se parasse — se parasse por tempo demais —, seria sugada para baixo e talvez não conseguisse elevar a cabeça acima da água novamente. Então eu continuava indo às aulas. Continuava lendo e estudando. Preparava treinos para o ministério de música que eu dirigia. Encontrava-me com as garotas que estava orientando. Ia trabalhar. Escrevia. Eu o fazia em meio à neblina. O esforço de fazer isso me esgotava. Mas eu o fazia. E isso me mantinha viva.

O náufrago

Desde a época em que ele se mudou para a casa dos Unwins logo após a chegada a Huntingdon, Cowper e a Sra. Unwin se mantiveram amigos. Ele lhe fez companhia quando ela perdeu o marido repentinamente. Eles se mudaram para Olney juntos, para Orchard Side, onde moraram durante quase vinte anos. Depois se mudaram juntos para Weston, para uma casa robusta, com jardins e espaços ao ar livre. Ambos estavam de luto pela morte prematura do filho dela, William, que era um dos melhores amigos de Cowper. A Sra. Unwin cuidou de Cowper em todos os episódios de depressão e às vezes era a única pessoa que ele permitia que falasse com ele. Pelo menos uma vez, foi ela que interveio quando ele estava tentando pôr fim à vida.

Ao lermos essa história de Cowper e Mary Unwin viverem juntos por mais de trinta anos, poderíamos começar a especular sobre um romance. A partir das informações que temos, contudo, parece que seu relacionamento era absolutamente puro e platônico. Eles foram noivos durante um breve tempo, mas isso parece ter sido para manter as aparências em relação ao fato de um homem e uma viúva morarem juntos. Os planos de casamento foram interrompidos por um dos grandes episódios de depressão de Cowper e nunca foram retomados após a recuperação dele, vários anos depois. Quer houvesse, quer não, romance entre eles, todavia, é evidente que o amor que sentiam um pelo outro era forte e profundamente devotado.

Assim, quando a Sra. Unwin sofreu uma série de derrames cerca de cinco anos depois que eles se estabeleceram em Weston, o papel de cuidador se inverteu, e Cowper ficou desnorteado. A pessoa que havia sido sua amiga constante agora era incapaz de caminhar sozinha; suas palavras raramente eram coerentes, e as mãos, outrora sempre ocupadas, estavam imóveis. Foi só uma questão de tempo até essa carga emocional exercer impacto sobre ele. A depressão retornou com plena força, inclusive a psicose que ele experimentara anteriormente, e ele não se recuperou até a morte.

A palavra *tortura* parece adequada para descrever o sofrimento de Cowper durante esses anos. As vozes e sonhos retornaram, falando-lhe dia e noite de seu estado sem esperança, e ele mais uma vez viveu sob um terror opressivo. Um novo amigo, o diretor da escola de Olney, Teedon, foi aquele a quem ele recorreu em busca de ajuda para interpretar essas mensagens. Cowper mantinha cadernos cheios com as vozes que escutava e as interpretações que Teedon lhes dava. Os garranchos de sua mente delirante cobriram as páginas de volumes.[44] Por volta dessa época, ele escreveu ao amigo Hayley: "Sou um animal patético e, na textura de minha mente e temperamento natural, há três fios de desalento para um de esperança".[45]

A conselho de Teedon, Cowper voltou a orar de vez em quando, ainda que continuasse a insistir em que isso lhe era proibido. Até essas orações, no entanto, continham o peso do desespero: "Se tento orar, recebo uma resposta em dose dupla de aflição. Minhas petições, assim, ficam reduzidas a três palavras, e não são repetidas com muita frequência: 'Deus, tem piedade!'".[46]

Parou de comer por uma penitência autoinfligida. Recusou-se a medicar-se. Não sentia prazer na companhia de amigos, embora também temesse ficar a sós. Mesmo quando finalmente recebeu uma pensão do rei, um notável reconhecimento por seus esforços literários, não demonstrou nenhuma reação.

Quando seus primos descobriram a extensão dos problemas de saúde da Sra. Unwin e a incapacitação de Cowper, seu jovem primo, John Johnson, transferiu os dois para sua casa, onde cuidou de Cowper até este morrer.[47] Ele o levou para viajar e duas vezes o convenceu, brevemente, a voltar a traduzir Homero. Apesar de seus esforços, contudo, nada aliviava a depressão de Cowper ou aquietava as vozes condenatórias que lhe assombravam a mente. Ele afirmava que espíritos assombravam sua cama. Todas as manhãs, fitava Johnson fixamente, tentando discernir se aquele era realmente o primo ou um demônio que assumira a forma dele.[48]

Como Cowper estava convencido de que as vozes que ouvia eram reais e divinas, Johnson tentou neutralizá-las. Em uma comovente expressão de amor, Johnson instalou secretamente uma série de tubos na parede ao lado da cama de Cowper e utilizou alguém cuja voz Cowper não reconheceria para lhe dizer palavras de esperança e consolação através dos tubos. Foi a única ideia em que conseguiu pensar, uma tentativa desesperada de frustrar as vozes na mente de Cowper.

Embora esses esforços sejam comoventes, não parece que a estratégia de Johnson tenha funcionado. Cowper continuou a declinar, continuou a temer seu final. Seus pensamentos eram frágeis, ele relembrou, como "areia solta e seca, que, quanto mais firmemente se agarra, mais fácil escorre. O Sr. Johnson lê para mim, mas eu perco uma frase ou outra em meio às inevitáveis perambulações de minha mente".[49] Dizia com frequência a seu dedicado criado naquela época, Roberts: "Desgraçado que sou de perambular em busca de falsos prazeres".[50]

Suas cartas, outrora frequentes e espirituosas, quase cessaram nos últimos cinco anos de vida, quando a depressão o incapacitou a tal ponto que ele não conseguia sequer escrever aos amigos mais próximos. Aqueles para quem conseguia escrever receberam as palavras lúgubres de sua mente deprimida. Elas são mortificantes. Contou ao primo: "Desejar, então, que eu nunca houvesse existido, que foi meu único desejo racional durante tantos anos, parece tudo o que resta a alguém que outrora sonhou com a felicidade, mas acordou para nunca mais sonhar com ela de novo".[51]

Um ano antes de morrer, Cowper escreveu um poema derradeiro. Ele conta a história de um náufrago, lançado ao mar, deixado para trás pelos amigos, que jogavam objetos em direção ao bote que se afastava no esforço de mantê-lo flutuando. Enquanto o náufrago sucumbe lentamente às ondas, Cowper se compara a ele:

E assim não pretendo, nem sonho,
    Ao cantar seu destino,
Prolongar seu tema tristonho;
    A tanto não me inclino.
Mas tal desgraça aqui se espelha
    E a outro caso se assemelha.

Nenhuma luz ou voz divina
    Surge enfim para nós,
E quando a esperança termina,
    Perecemos, a sós.
Mas eu, sob um mar mais selvagem,
    Caio em mais profunda voragem.[52]

Ele estava se afogando. Afogando-se a sós, tragado pelo peso do desespero. Morreu um ano depois.

Graça na garrafa de vinagre

Quando fecho o livro da vida terrena de Cowper, meu coração está pesado. Pensar nele caminhando como um fantasma sobre a terra, deitado em seu leito de morte em "desespero inexprimível", me faz ter vontade de chorar. Meu coração murmura duas palavrinhas: *Por quê?*

Por que, Deus, ele precisava sofrer assim? Por que não intervieste para consolá-lo com tua presença? Por que não curaste a mente dele? É a mesma pergunta que aflora quando vejo amigos hoje em sofrimento profundo. Meu coração dói, e minha mente luta para entender por que Deus cura milagrosamente em algumas situações — e não cura em outras.

Então penso nas palavras do próprio Cowper: "Deus age misteriosamente [...]. Ao nosso Deus não julgueis mal, em sua graça exulta". À medida que me detive na história de Cowper e sua dor sem solução, perguntei-me como lhe chegou essa graça. E, vezes sem conta, chegou para mim também — por meio dos amigos.

Às vezes Cowper conseguia ver os atos de amor extremo de seus amigos. Certa vez contou a William Unwin: "Toda prova de atenção e consideração para com um homem que vive em uma garrafa de vinagre é bem-vinda de seus amigos que estão fora dela".[53] Mas, com muita frequência, ele não estava em contato com a realidade o bastante para notar o que eles faziam para cuidar dele. Vemos, no entanto, o amor que dedicaram a Cowper. Eles me fazem pensar nos amigos que cuidaram de mim em meus dias sombrios. Que gestos de amor meus amigos fizeram que não foram vistos por meus olhos obscurecidos?

Durante décadas, Cowper não conseguiu ver a misericórdia de Deus para com ele. Não conseguiu ver a presença de Deus. Só conseguia ver ira e desespero. Mas creio que Deus ainda estava lá. Ele aparecia nas pessoas na vida de Cowper que o amavam constante e lealmente, mesmo quando a depressão o tornara difícil de cuidar. Estava nos amigos que não desistiam de ter esperança, mesmo quando Cowper sentia que esta o abandonara, e nos amigos que se recusavam a deixá-lo, mesmo quando Cowper sentia que eles o haviam abandonado.

Deus estava em Mary Unwin, que cuidou de Cowper ano após ano; que, mesmo durante sua própria doença, quando as pernas estavam franzinas e fracas, pedia-lhe que a levasse a dar um passeio para fazer com que ele se levantasse da cadeira onde a depressão o deixara paralisado.

Estava em John Newton, que encorajava Cowper a escrever e lhe deu um lugar na igreja; que o acolheu, mesmo ele chegando sem ser convidado, em seu lar; que mantinha vigília sobre ele para conservá-lo vivo.

Estava no primo Johnson, que o levou para sua própria casa; que instalou tubos nas paredes para sussurrar palavras de verdade e consolação nos ouvidos de Cowper; que estrategicamente deixava livros à vista para Cowper encontrar, para mantê-lo escrevendo, para lhe dar uma razão para viver.

Estava no amigo Hayley, que correu para seu lado quando ele estava se deixando morrer de fome e convenceu-o a comer; que pedia a líderes religiosos proeminentes que lhe escrevessem cartas para lembrar a Cowper o efeito de sua poesia sobre o mundo.

Quando Cowper morreu, John Newton disse: "Que gloriosa surpresa deve ser se ver liberto de todas as correntes em um instante, e na presença do Senhor a quem amava e servia!".[54] Que gloriosa surpresa fechar os olhos em desespero e então abri-los e se ver face a face com o Deus que nunca o abandonara!

Talvez você, meu amigo, esteja preso no deserto vazio do "ainda não". Talvez se pergunte, como Cowper fazia, se Deus o abandonou. Talvez sinta que não vai conseguir ir em frente.

Lembre-se de que, mesmo em uma história tão trágica quanto a de Cowper, podemos olhar para trás e ver a presença de Deus. Estava lá, no resgate de seus amigos e da arte. Estava lá, na fé que resistia em meio às trevas. Estava lá, nos momentos de riso e prazer que ele compartilhava com os amigos, com seus animais de estimação, cercado pelas flores de sua estufa. Está no legado de hinos, poemas e cartas que ele deixou para nos dar ânimo hoje.

Mesmo que você não consiga ver neste momento com seus olhos terrenos, Deus está operando em sua história também. Siga o exemplo de Cowper como alguém que atravessou essa "insondável mina" antes de você. Agarre-se às pessoas que Deus colocou em sua vida — e agradeça a elas pelo carinho. Na medida do possível, abrace o trabalho ou as atividades que irão ancorá-lo nos fragmentos de vida presentes, tangíveis, terrenos. Continue andando em frente no escuro.

5
Charles Spurgeon

Agarre-se às promessas de Deus

O estômago se revirou. Tantos vieram. Milhares em pé, espremendo-se desde a entrada do jardim até a sala de concertos, tentando entrar na majestosa construção. Devia haver pelo menos outros dez mil lá dentro. Muita gente! A responsabilidade fazia com que as mãos dele tremessem. Respirou fundo, para se acalmar, e seguiu os guias pelo labirinto de corpos até chegar ao púlpito de onde pregaria naquela noite.

Todos os lugares estavam ocupados, da plateia no térreo até a terceira galeria acima dele. Homens e mulheres enfileirados nas passagens, nas escadas, na parede dos fundos — qualquer espaço que houvesse para ficar em pé —, e a sala permanecia em silenciosa expectativa. Esperar dez minutos só faria com que a multidão ficasse inquieta. Começariam cedo.

Após a leitura das Escrituras, ele começou a orar, dando graças, suplicando pela salvação daqueles que o ouviam. Sentiu-se arrebatado, embevecido na presença de Deus, esse jovem desengonçado, de rosto imberbe, encorajado pelo próprio Santo dos Santos, cercado pelas massas de Londres.

Foi quando aconteceu.

Ele ouviu um grito agudo: "Fogo!". Depois outro: "As galerias estão cedendo!". E um terceiro: "Tudo está desabando!". Berros e gritos irromperam do silêncio reverente enquanto centenas de pessoas saltavam das cadeiras e corriam para a porta, desesperadas para fugir, certas do desastre. Foi como água irrompendo de uma barragem, enraivecida e violenta. Com um estrondo, um dos corrimãos da escada arrebentou com a pressão dos corpos e se soltou, ficando pendurado como uma asa quebrada.

A entrada era um tumulto emaranhado de membros, boinas e abas de casacas. Aqueles que fugiam das galerias abriam caminho à força e, com a mesma rapidez, aqueles do lado de fora pressionavam para entrar, ávidos para tomar um lugar lá dentro. Era uma multidão pulsante, vociferante.

O que estava acontecendo? O coração dele batia acelerado enquanto ele vasculhava freneticamente a sala com os olhos. Não havia fumaça. Não havia nenhum sinal de que o prédio estivesse desabando.

"É um alarme falso", ele berrou, estendendo os braços para tranquilizar os demais. "Isto é um ardil de ladrões e batedores de carteira que querem perturbar nosso culto. Permaneçam calmos, meus amigos."

"Pregue!", gritou um homem em meio à massa. "Sim, pregue!", pediu o restante da multidão.

Ele parou, hesitante. Em semelhante confusão, o que poderia dizer? A única coisa a que sabia recorrer era... o evangelho:

"Meus amigos, um dia terrivel virá, quando o terror e o susto desta noite não serão nada... Muitos tiveram medo de ficar aqui parados, porque pensaram que, se ficassem, poderiam morrer, e então seriam condenados... Mas vocês não sabem, meus amigos, que a graça, a soberana graça, ainda pode salvá-los?... Vocês estão doentes e enfermos, mas Jesus pode curá-los; e ele o fará, se confiarem nele."

Um novo caos irrompeu. Mais pessoas saíram de seus lugares e correram para os fundos. Choros. Gritos. Algo estava terrivelmente errado. De repente ele sentiu muito calor, e um zunido baixo lhe encheu os ouvidos. Sentiu-se oscilar.

Morto. Esmagado. Hospital. As palavras lhe vieram como se sopradas pelo vento.

"Meu cérebro está em redemoinho, e mal sei onde estou, tão grande são minhas apreensões de que muitas pessoas possam ter se ferido ao correrem para fora. Peço que se retirem aos poucos e que Deus Todo-Poderoso os acompanhe com sua bênção, e os leve em segurança..."

Os lábios se moveram para formar as palavras, mas ele mal podia se ouvir, tão grande era o alarido. Conseguia ver os corpos agora, cercados por espectadores, membros contorcidos em ângulos estranhos. A escuridão penetrou pelo canto de sua visão. "Não se apressem. Deixem aqueles que estão perto da porta saírem primeiro", conseguiu dizer. Então o mundo escureceu.[1]

Masmorras do desespero: difamação e catástrofe

Quando os diáconos de Spurgeon o carregaram, apenas parcialmente consciente, através de uma saída privada naquela noite, ele só tinha 22 anos. Ele não viu os sete cadáveres ensanguentados no gramado diante do Surrey Gardens Music Hall, nem as outras 28 pessoas levadas para o hospital gravemente feridas. Só depois escutou o relato daqueles que haviam soado um alarme falso com más intenções, daqueles que haviam caído em meio à correria e sido pisoteados.

Você consegue imaginar a dor na cidade naquela noite? Consegue imaginar a compreensão de que aquelas pessoas haviam ido ouvir você pregar — que o ataque acontecera sob sua responsabilidade?

Os críticos de Spurgeon não o pouparam na sequência da tragédia. Acrescentaram difamações e acusações à sua dor, culpando-o pelas vidas perdidas e feridas. Mas aquela não foi a primeira vez que ele havia sido alvo de suas palavras hostis.

Charles Spurgeon chegara a Londres três anos antes, um rapaz do campo, de dezenove anos, imberbe, com um péssimo corte de cabelo. Apesar das maneiras rústicas e de não ter instrução teológica formal, era um pregador dinâmico e dramático, passional em relação à Palavra de Deus. Depois de dois anos, a congregação de duzentos membros da capela em New Park Street explodiu em tamanho a ponto de seu prédio não conseguir mais abrigar a todos. Ele continuou sendo seu pastor durante quase quarenta anos.

Todavia, não era popular entre todos. Enfrentou duras críticas e calúnias nos jornais. Eles lhe distorciam as falas e lhe atribuíam palavras que jamais pronunciara. Alguns colocavam em dúvida sua salvação. Outros comparavam suas palavras "que são mais macias do que manteiga" aos ardis de Satanás.[2] Um crítico chamou seus sermões de "prostituição do púlpito".[3] Tenho dificuldade em discernir se esses críticos estavam com ciúme de sua popularidade, descontentes com seu estilo singular (que eles qualificavam como "de mau gosto" e "vulgar e teatral"), ou fazendo uma avaliação genuína.[4]

É evidente que tais ataques magoavam Spurgeon intensamente. Quando ele estava tentando pregar o evangelho e ganhar almas para Cristo, esses ataques abertos a seu caráter eram angustiantes. Não consigo deixar de me lembrar de que ele era ainda bem jovem, estava longe de casa e apenas começava a traçar seu caminho pelo mundo.

Durante esses anos iniciais, nos primeiros tempos de casado, quando a esposa, Susannah, buscava um modo de consolá-lo, ela teve o cuidado de copiar o texto de Mateus 5.11-12, emoldurá-lo e pendurá-lo no quarto do casal. Todas as manhãs, enquanto ele se vestia e saía do quarto para iniciar os trabalhos do dia, e todas as noites, enquanto descansava depois de outro dia de trabalho, aqueles dizeres o saudavam: "Bem-aventurados sois vós quando vos injuriarem, e perseguirem, e, mentindo, disserem todo o mal contra vós, por minha causa. Exultai e alegrai-vos, porque é grande o vosso galardão nos céus; porque assim perseguiram os profetas que foram antes de vós" (RC).

Apesar das calúnias, Spurgeon agora tinha uma congregação que necessitava de espaço para abrigar seu número crescente. Eles iniciaram a construção de uma nova igreja, com cinco mil lugares, o Tabernáculo Metropolitano, e enquanto esperavam, alugavam espaços para abrigar as multidões crescentes que acorriam para ouvir seu sensacional pregador. Foi isso o que os levou ao Surrey Gardens Music Hall.

Depois de Spurgeon ser carregado da sala de concertos naquela trágica noite, "mais morto do que vivo", ele foi levado à casa de um amigo para ficar em reclusão e tranquilidade. Nos momentos de caos na sala de espetáculos, a ansiedade o tomara a ponto de fazê-lo perder a consciência. Embora houvesse assistido à confusão e aos ferimentos de longe, a experiência lhe havia sido traumática, e creio que ele sentia que era, de algum modo, responsável pelas mortes. Nos dias que se seguiram, a culpa e a aflição a respeito do acontecimento o mergulharam na depressão. Susannah e os preocupados diáconos notaram sua angústia, escondendo dele as piores calúnias que a imprensa lhe lançava. Qualquer palavra sobre a tragédia, ou mesmo a visão da Bíblia, era suficiente para levá-lo às lágrimas.

Mais tarde ele descreveu como se sentiu naquele período:

> Quem pode conceber a angústia de meu triste espírito? Eu me recusava a ser consolado; as lágrimas eram meu alimento durante o dia, e os sonhos, meu terror à noite. Sentia-me como nunca me sentira antes. "Meus pensamentos eram todos um estojo de facas", cortando meu coração em pedaços, até que um tipo de estupor de sofrimento ministrou-me um remédio fúnebre. [...] Ali jazia minha mente, como um navio naufragado na areia, incapaz de seus movimentos habituais. Eu estava em terra estranha, e era um estranho nela. Minha Bíblia, outrora meu alimento diário, não passava de uma mão para abrir as comportas de minha tristeza. A oração não me fornecia bálsamo. [...] "Quebrados em pedaços todos separados", meus pensamentos, que haviam sido para mim uma taça de contentamentos, eram como vidro quebrado, as perfurantes e cortantes desgraças de minha peregrinação.[5]

Essas palavras não soam como uma página rasgada de um diário manchado de lágrimas (ainda que polidas com uma pitada de inglês vitoriano refinado)? Se você alguma vez já esteve trancado nas infernais "masmorras sob o Castelo do Desespero", talvez reconheça esses gritos vindos das trevas.[6] Dia e noite sem conseguir escapar dos pensamentos que o assombravam, ainda que tentasse voltar os pensamentos a Jesus e ao amor de Deus. Não conseguia pensar direito. Não conseguia orar. Não conseguia encontrar consolo. A depressão era tão severa que os diáconos se perguntaram se algum dia ele conseguiria pregar de novo. Susannah temia que o marido perdesse a razão completamente.

Certo dia, contudo, quando caminhava com Susannah no jardim, Spurgeon estancou de repente. Ela viu nos olhos dele um velho brilho quando ele começou a falar: "Querida, como tenho sido tolo! Ora! O que importa o que acontecer comigo, se o Senhor deve ser glorificado? Se Cristo for elevado, que faça comigo o que quiser".[7]

Naquele momento, as palavras de Filipenses 2.9-11 o haviam atingido com uma explosão de luz e consolo: "Pelo que também Deus o exaltou soberanamente e lhe deu um nome que é sobre todo o nome, para que ao nome de Jesus se dobre todo joelho dos que estão nos céus, e na terra, e debaixo da terra, e toda língua confesse que Jesus Cristo é o Senhor, para glória de Deus Pai" (RC).

Ali estava uma promessa à qual Spurgeon podia se agarrar. Embora ele estivesse em um mundo onde o mal e a tragédia prosperavam, embora estivesse nas trevas, o reino de Cristo ainda estava a salvo, seu trono ainda era inabalável.[8] Foi o bastante para tirar Spurgeon da beira de um colapso mental completo. Foi o bastante para lhe trazer de volta a canção de esperança ao coração, apesar de ele ainda não conseguir falar do que acontecera.

Com essa revelação espiritual, Spurgeon não se livrou da depressão, nem se recuperou instantaneamente. Ele carregaria consigo pelo resto da vida as lembranças e os efeitos da tragédia.[9] Mesmo 25 anos depois, uma situação semelhante de confusão em um salão lotado de gente o desarmou por completo.[10] Posso imaginá-lo apoiado contra a parede, a testa pressionando o pulso contra o gesso, lutando contra as lembranças, respirando fundo para acalmar o coração e combater o horror que lhe subia pela garganta.

Quando o corpo vence a alma

Muito embora a aflição do desastre de Surrey Hall nunca tenha se apagado, Spurgeon acabou encontrando vislumbres da bondade redentora de Deus a partir dela.

O ministério do Tabernáculo Metropolitano prosperava. Centenas, quem sabe até milhares, vinham a Cristo. Seus sermões eram publicados semanalmente e lidos ao redor do mundo, e os críticos acabaram aceitando a presença dele, ainda que houvesse algumas pessoas que nunca aprovariam sua pregação. Ele fundou a Faculdade de Pastores para ensinar uma nova geração de pregadores e lançou uma revista, *A espada e a espátula*.

Estava casado com uma mulher a quem amava, uma mulher que o tornava um ministro ainda mais eficaz por meio de seu apoio. O casal via os filhos gêmeos crescerem e tornarem-se jovens fortes.

Esse nível de sucesso poderia ser quase inebriante. Mas, por volta dessa época, o corpo de Spurgeon começou a se voltar contra ele. Perto do trigésimo quinto aniversário, ele experimentou as primeiras dores da gota, uma forma severa e extremamente dolorosa de artrite reumatóide. Suportou seu "batismo de dor" ocasionalmente pelo resto da vida.[11]

A gota era uma doença cruel. Um dia Spurgeon estava em boa saúde, alegre, cheio de energia produtiva; no dia seguinte, quase sem aviso, a dor vinha. Penetrava-lhe os ossos, perfurante, pulsante, provocando tremores que o faziam sentir-se como se fosse se desintegrar em agonia. As juntas doídas e inchadas impossibilitavam que usasse as mãos para escrever ou mesmo para se vestir. Era uma "bênção" ser capaz de se virar na cama — ou ter apenas uma junta torturando-o em determinado momento.

A dor o deixava exausto, incapaz de dormir devido à sua intensidade; o corpo ficava tenso ao lutar contra ela. A dor também obscurecia sua mente, lançando-lhe uma neblina sobre os pensamentos. Ele ficava preso em uma terra de ninguém, entre a morte e a agonia de não morrer. Qualquer um que tenha sofrido uma dor física extrema reconhecerá os ecos dessa angústia.

Algumas pessoas com enfermidades crônicas conseguem, sem dúvida, viver com uma alegria que desafia a razão humana. Um sofrimento físico, mesmo que especialmente doloroso, não significa automaticamente que alguém se tornará deprimido. Mas certas enfermidades — ou uma propensão da pessoa — permitem que a doença "toque não apenas a carne e o osso, mas também a mente. A dor da mente avança sobre o espírito, e o espírito se obscurece com a perturbação".[12] Essa foi a experiência de Spurgeon.

Quando esses episódios o deprimiam, era impensável para ele pregar ou executar os deveres normais. Tudo o que conseguia fazer de seu leito de enfermo era escrever cartas para sua querida congregação. Certa vez, depois de estar afastado da igreja por doze semanas, ele lhes escreveu as seguintes palavras, mesclando "os gemidos de dor e as canções de esperança": "A fornalha ainda arde a meu redor. [...] Estou muito abatido; minha carne tem sido torturada pela dor, e meu espírito tem estado prostrado com a depressão. [...] Sou como um vaso de oleiro quando está completamente quebrado, inútil e deixado de lado. Tenho passado noites em claro e dias em aflição".[13]

Mesmo enquanto se recuperava, Spurgeon não conseguiu deixar de se lembrar de que não era o único que sofria. Havia uma pessoa "próxima ao seu coração" que permanecia sofrendo: sua esposa, Susannah. Depois de passarem vários preciosos anos juntos, uma doença desconhecida atacou o corpo de Susannah com "dor constante e fatigante", deixando-a acamada durante longos períodos.[14]

Pobre amigo Spurgeon! Seu corpo estava em frangalhos. A depressão vinha em ondas. Ele suportava a carga de ministrar a milhares. Então, para além de tudo isso, precisava assistir a sua amada esposa aguentar uma dor que ele não podia remover nem remediar — e às vezes precisava acompanhá-la de longe, enquanto viajava para pregar em noivados e em seus próprios períodos de convalescência.

À medida que os anos passavam e sua condição piorava, Spurgeon foi forçado a sair de Londres periodicamente em busca de um clima mais propício para a cura dos sintomas de artrite. Passava temporadas em Menton, no litoral da França. Seria durante uma dessas viagens que ele morreria. Foi a única viagem em que Susannah estava suficientemente bem para viajar com ele.

O evangelho traído: a controvérsia do declínio

Cinco anos antes daquela derradeira viagem ao litoral temperado do Mediterrâneo, Spurgeon foi envolvido em uma controvérsia sobre uma nova teologia que se infiltrava em sua denominação batista. Ele ficou preocupado ao ver a autoridade das Escrituras ser questionada ao lado de princípios básicos do evangelho, como a pecaminosidade humana, a divindade de Cristo e a necessidade da expiação substitutiva de Jesus na cruz.

Acreditando que a denominação estivesse sendo degradada, desviando-se ainda mais da verdade do evangelho como um todo, Spurgeon publicou uma série de artigos na revista *A espada e a espátula*, clamando por um compromisso renovado com a ortodoxia dentro da União Batista. Os artigos enfrentaram uma forte reação adversa, e ele acabou se retirando da denominação. Seus membros, em nome da manutenção da paz e da unidade, encerraram as discussões internas que ele esperara iniciar com um voto de censura sobre seus comentários. Seu próprio irmão votou a favor da moção. Ele ficou arrasado.

Embora não gostasse de conflitos ou controvérsias, Spurgeon viu todo o episódio como uma luta audaz e necessária pela verdade e a defesa do evangelho que ele tanto prezava.[15] Apesar disso, a condenação o magoou. Relacionamentos se romperam, pois ele foi abandonado por amigos, colegas, alunos e parceiros de ministério. Ele perdeu um significativo apoio financeiro. A dor da traição feriu-lhe o coração. Susannah chamou esse período de "o sofrimento mais profundo de sua nobre vida".[16]

Em uma carta a um amigo nessa época, ele escreveu: "Imploro que ore por mim, pois estou deprimido e cansado com as deserções daqueles que deveriam estar a meu lado. [...] Sou uma criatura fraca para uma batalha tão grande. ELE [*sic*] protegeu minha cabeça e, ainda assim, estou pronto a morrer".[17]

A controvérsia afetou-lhe a saúde já debilitada. Apesar do auge do problema ter durado apenas dois anos, durante os cinco anos finais da vida de Spurgeon raramente havia um mês em que a revista *A espada e a espátula* não continha um artigo discutindo-a.[18] O efeito sobre ele foi tão grave que alguns o chamavam de mártir em defesa da verdade.[19]

Quando os santos não têm alegria

Se essas histórias fossem todo o quadro da depressão de Spurgeon, seria fácil acreditar que sua depressão fosse completamente circunstancial. Os árduos tempos que ele enfrentou afetariam as emoções de qualquer um, e ele foi abandonado como uma criança no escuro.

Mas a depressão para Spurgeon era mais do que apenas circunstancial. Quando ele falava disso em sermões e palestras, seus exemplos, que muitas vezes se baseavam em sua própria experiência, incluíam uma forma significativa de depressão: o tipo que surge sem causa. Em um sermão, ele declarou:

> Podemos estar cercados de todos os confortos da vida e, ainda assim, sentir uma infelicidade mais sombria do que a morte se o espírito está deprimido. Pode não haver qualquer causa externa para a aflição e, apesar disso, se a mente está desalentada, o sol mais brilhante não aliviará nossa tristeza. [...] Há momentos em que todas as evidências se obscurecem e toda a alegria desaparece. Embora ainda possamos nos agarrar à cruz, esse gesto de agarrar é desesperado.[20]

Spurgeon entendia que a depressão não é sempre lógica, e sua causa não é sempre clara. Há momentos, escreveu ele, em que nosso espírito nos trai, e mergulhamos nas trevas. Deslizamos para dentro de "poços sem fundo", onde nossa alma "pode sangrar de dez mil maneiras, e morrer repetidas vezes a cada hora".[21] Não há racionalidade, e é difícil encontrar remédio.

> Seria melhor lutar contra a neblina do que contra essa desesperança amorfa, indefinível e, ao mesmo tempo, que a tudo encobre. Não se permite nenhuma compaixão quando é esse o caso, porque parece ser irracional, e até pecaminoso, perturbar-se sem uma causa manifesta; e, não obstante, a pessoa se perturba, até as profundezas de seu espírito [...] é necessária a mão celestial para içá-la de volta [...] mas nada menos do que isso afastará o pesadelo da alma.[22]

Sou grata por citações como essa de Spurgeon, porque revelam sua compreensão. Lembro-me quão indefesa me senti em minha depressão, quão aparentemente impotente para fazer o que quer que fosse para fugir dela. Algumas pessoas esperavam que houvesse um jeito rápido de resolver, uma solução lógica ou algum tipo de força de vontade espiritual que pudesse derrotá-la, mas a luz e a alegria eram fugidias.

Fica claro que Spurgeon conhecia essa impotência *e* sabia quão dificilmente as pessoas conseguiam reagir a ela. Ele falou diretamente do púlpito aos "ajudantes" rudes e insensíveis — aqueles que se apressavam em atribuir culpa, rápidos em dizer aos deprimidos para apenas "sair dessa" e lentos em demonstrar compaixão.[23] Ele também não tolerava a acusação de que "bons cristãos" não ficavam deprimidos. "Gente de Deus às vezes anda nas trevas e não vê a luz. Há momentos em que o melhor e mais brilhante dos santos não sente alegria", pregou.[24] Ele foi claro ao dizer que não apenas a depressão não era um sinal confiável de alguém ser ou não cristão, mas também não era um sinal de que esse alguém não estivesse crescendo na fé. Era possível ser fiel e deprimido: "A depressão de espírito não é sinal de declíno da graça — a própria perda de alegria e a ausência de certeza podem ser acompanhadas por grandes avanços na vida espiritual".[25] Ah, se mais pastores pregassem assim sobre a depressão!

Faça bom uso da aflição

Talvez você conheça a sensação de estar tão sem ânimo que não consegue fazer nada, contribuir para nada. Você se sente oprimido e paralisado pela tristeza. O cérebro está enevoado, o temperamento irritado. Tudo está sombrio. Então vêm as perguntas: *E se isso não passar? E se eu nunca mais conseguir fazer qualquer coisa de valor duradouro?*

Spurgeon conhecia esse sentimento. Talvez seja por isso que, em uma palestra a seus alunos sobre depressão, ele lhes disse: "Não pense que isso porá um fim à sua utilidade".[26] Ele se sentiu deprimido muitas vezes, tanto física quanto emocionalmente, mas isso não o levou a interromper o ministério. Escreveu milhares de sermões e inumeráveis cartas, lia incansavelmente, encontrava-se com as pessoas, orava com as pessoas, organizava ministérios, lecionava na Faculdade de Pastores. Seu sofrimento não lhe removia a utilidade. Ao contrário: o resultado dele o tornava *mais* útil. Sua experiência com a depressão possibilitava-lhe encorajar e apoiar outros que sofriam com ela também.

Por exemplo, Spurgeon alertou aos alunos para tomarem consciência de situações em que poderiam estar mais suscetíveis à depressão. A lista que ele lhes deu constitui um catálogo autobiográfico:

- quando você tem uma doença ou problemas físicos prolongados;
- quando você executa trabalho mental ou emocional intenso;
- quando você está solitário ou isolado;
- quando seu estilo de vida é sedentário e você sobrecarrega o cérebro;
- depois do sucesso;
- antes do sucesso;
- depois de um golpe intenso;
- por meio do lento acumular de problemas e desânimo;
- na exaustão e no trabalho excessivo.

Ou a depressão pode simplesmente vir sem causa, sem razão, sem justificativa, o que ele considerava o mais penoso de tudo.[27]

Spurgeon oferecia conselhos solidários e práticos também a seus paroquianos, pregando-lhes sobre temas como a necessidade do descanso: "O espírito precisa ser alimentado, e o corpo precisa ser nutrido também. Não se esqueçam de que isso é importante! Alguns podem achar que eu não deveria mencionar coisas triviais como comida e descanso, mas esses podem ser os primeiros elementos a realmente ajudar um pobre servo de Deus deprimido".[28] O autocuidado não é meramente uma noção moderna. Spurgeon entendia, por experiência própria, que cuidar adequadamente do corpo é parte importante da luta contra a depressão, e compartilhava livremente essa sabedoria que adquirira a duras penas.

Por causa de seu sofrimento, ele podia também se compadecer dos outros e consolá-los de modo mais eficaz. Pessoas vinham de longe para buscar nele conselho e consolação, e aqueles que não podiam ir fisicamente lhe escreviam cartas. Ele era um "curador ferido" — alguém que usava a aflição que sentia para dar consolo aos outros:

> É um grande dom ter aprendido por experiência como ser solidário aos outros. Digo-lhes: "Ah! Sei pelo que você está passando!". Eles olham para mim e seus olhos dizem: "Não, com certeza o senhor nunca se sentiu como nos sentimos". Então eu vou além e digo: "Se você se sente pior do que eu me sentia, tenho pena de você, realmente, pois eu poderia dizer, como Jó: 'Minha alma escolheria, antes, a estrangulação do que a vida'. Eu poderia ter tirado a própria vida com prazer para fugir de meu sofrimento de espírito".[29]

Há um profundo consolo em perceber que mais alguém entende, ao menos em parte, seu sofrimento. Essas pessoas podem oferecer consolo de uma forma que outras não conseguem. Essa é parte da força das histórias neste livro — encontrar outros que entendem, que podem dizer "sei o que você está passando". Sobreviver a experiências dolorosas como a depressão nos coloca em uma posição especial e nos confere a responsabilidade única de oferecer esse consolo e camaradagem aos outros. Spurgeon nos incentiva a não nos esquecermos disso: "Aquele que esteve na masmorra escura conhece o caminho para o pão e a água. Se você passou pela depressão, e o Senhor apareceu para o consolar, esforce-se por ajudar outros que estão onde você costumava estar".[30]

Sua utilidade não acabou, Spurgeon nos diz. Você também pode ser um companheiro para alguém que está nas trevas.

Cantar nas trevas

Quando penso nas palavras que Spurgeon nos dirige a partir do legado de suas próprias lutas, isso me traz à mente um hino impetuoso que me lembro de ter cantado na igreja nos tempos de infância.

> Firme nas promessas não irei falhar,
> Vindo as tempestades a me consternar;
> Pelo Verbo Eterno eu hei de trabalhar,
> *Firme nas promessas de Jesus!*

Nos momentos mais difíceis da vida de Spurgeon, foram as promessas divinas nas Escrituras que o tiraram do desespero.

Nos primeiros anos, quando ele estava deprimido e atormentado pelas duras críticas que lhe haviam lançado, ele voltou os olhos para o versículo que Susannah escolhera pendurar no quarto do casal: "Bem-aventurados sois vós quando vos injuriarem...".

Com o passar dos anos, outro versículo o substituiu, novamente escolhido pela esposa: "Eis que te purifiquei, mas não como a prata; provei-te na fornalha da aflição" (Is 48.10, RC).

Após o desastre do Surrey Gardens Music Hall, uma revelação das Escrituras o encorajou e o salvou do colapso.

E repetidamente em seus sermões, as palavras das Escrituras e a vida de personagens bíblicos lhe davam ânimo. Elas o lembravam da verdade. Mantinham-no cantando. Mantinham-no vivo. Foi aí, onde as promessas divinas se juntaram à sua própria aflição, que ele encontrou a esperança.

Na introdução a *O talão de cheques do banco da fé*, que escreveu em meio à Controvérsia do Declínio, Spurgeon declara: "Acredito em todas as promessas de Deus, mas muitas delas eu testei e provei pessoalmente. [...] Eu diria [aos companheiros cristãos] em suas provações: Meus irmãos, Deus é bom. Ele não o abandonará. Ele o apoiará. [...] Tudo o mais irá falhar, mas a Palavra dele nunca falhará".[31]

Você o ouve falando com você, meu amigo? *Confie nele. Fique firme em suas promessas. Agarre-se à esperança.*

"Ah, sim, Spurgeon", talvez digamos, "mas isso é tão difícil!" Ele sabia disso. Ele viveu essa luta, a luta pela crença, pela fé, a luta para se agarrar à esperança das promessas. Ele conhecia as tentações da dúvida. Sabia como a depressão as tornava ainda mais difíceis de suportar; quão mais fácil era questionar a bondade de Deus, sua lealdade, sua presença permanente: "Esse assalto perpétuo, esse perpétuo esfaquear, e cortar, e despedaçar da fé de alguém, não é fácil de suportar".[32] Mas suportar é preciso. E é exatamente "suportando que aprendemos a resistir".[33] Nossas provações tornam essas promessas mais ricas e tornam nossa fé nelas até mais fortes quando vemos, repetidas vezes, que elas são suficientemente sólidas para nos sustentar. Elas nos ensinam a humilde confiança em um Deus fiel.

Spurgeon não estava dizendo que a solução para o sofrimento e a depressão está no mantra que muitos cristãos deprimidos precisam suportar: basta ler a Bíblia, basta orar mais, basta ter fé. Não há panaceia para a depressão, nenhum jeitinho rápido de consertar por via espiritual. Mas, quando estamos nas trevas, as promessas das Escrituras são fortes a ponto de nos manter ancorados. Saber que pertencemos a Cristo é uma âncora. Quando estamos nos debatendo, quando não sabemos aonde ir, quando nos sentimos perdidos, quando as trevas nos consomem, agarramo-nos às promessas de Deus, mesmo quando quase já não temos forças para acreditar nelas. Elas são seguras, independentemente de nossos sentimentos, independentemente de nosso estado exterior.

Quando vemos personagens da Bíblia como Elias, que queria morrer, e os salmistas, que lutavam contra a depressão e sentimentos de abandono por parte de Deus, e "encontramo-nos em locais semelhantes", Spurgeon pregou, "ficamos aliviados ao descobrir que estamos andando por um caminho que outros já atravessaram antes de nós".[34] Vemos esses santos lançados às trevas. Vemos a lealdade de Deus. Vemos suas promessas que são fortes o bastante para sustentá-los — e a nós também. Não desanime, suas histórias nos dizem. Essa é uma provação que muitos tiveram de suportar. Você ainda é dele. O Cristo que o aceitou não o deixará nas trevas.

Certa vez Spurgeon declarou: "Na noite da aflição [...] os crentes [são] como rouxinóis, e eles cantam nas trevas. Não há verdadeira noite para alguém que tem o espírito de um rouxinol".[35] Isso me lembra de um bilhete que recebi certa vez de uma amiga: "Você é corajosa. Você resiste nas trevas, murmurando a Verdade para si mesma". Eu me sentia tudo menos corajosa naquela época. Havia sido um ano difícil. Havia sido um ano de lágrimas, questionamentos e noites interrompidas. E aqui estava minha amiga mais próxima me chamando de corajosa. Não consegui acreditar. Eu não era corajosa — estava desesperada. Que mais poderia fazer naquele local sombrio exceto ficar murmurando a Verdade? Era tudo o que eu podia fazer para manter as trevas encurraladas, para impedir que me sufocassem.

É isso o que Spurgeon nos oferece. Um lembrete para cantar as promessas de Deus. Cantar sobre a lealdade dele. Mesmo que você ainda não consiga vê-la, mesmo que você não a sinta — murmure a Verdade para si mesmo. Cante nas trevas.

6

Madre Teresa

Siga Jesus, não seus sentimentos

O ar úmido e quente carregava a cacofonia das ruas para dentro pelas janelas da capela vazia. Mesmo nesse local de silenciosa oração, Calcutá implorava pelo amor delas. O ronco de motores e o som metálico das buzinas dos carros as lembravam de seu chamado. Elas encontravam Jesus não apenas se ajoelhando, mas na forma dos pobres — os corpos esqueléticos das crianças de rua, os moribundos cobertos de feridas, os doentes dos quais ninguém cuidava.

Hoje, os sons acalmavam o silêncio sufocante em seu coração.

Ó Ausente, quanto tempo permaneceras afastado? Anseio por ti, mas tu não me queres. Vazio. Dor. Solidão. Não consigo expressar essa dor. É assim que é o inferno: sem Deus, sem amor, sem fé. A dor é tamanha que sinto como se tudo fosse se romper. Quem sou eu para que me tenhas abandonado?

Ela olhou para as irmãs inclinadas em oração. Elas se ajoelhavam com ela em fileiras sobre tapetes que revestiam o chão, as cabeças cobertas com os saris simples brancos e azuis de sua ordem. Se apenas elas soubessem da dor em seu coração! Elas pensavam que a vida dela com Jesus era repleta de consolação, enriquecida pela comunhão — mas havia naquele jardim mais espinhos do que rosas. Ela lhes falava do amor dele. Guiava-as em sua devoção a ele. Mas o coração dela estava vazio. Ensinava-lhes sobre a proximidade dele ao mesmo tempo que perguntava em seu coração: "Onde está Jesus?". Não havia Deus dentro dela. Apesar disso, escondia a tristeza com um manto de alegria.

Não deixes minha alma ser enganada. Não deixes que eu engane ninguém. Por favor, Deus, não me deixes estragar a Obra. A Obra é tua.

Era a única certeza que ela possuía — a obra era dele. Aquelas irmãs eram dele. Elas eram sacrifícios vivos de amor, cuidando de Jesus sob o disfarce penoso dos pobres. Ela o havia visto reunir as irmãs — e depois os irmãos — a seu serviço. O mundo percebeu e concedeu dádivas e prêmios. Mas tudo o que ela queria era ele. Por que ele lhe dava todas aquelas outras coisas, mas não a si mesmo? Por que a deixava a sós andando na escuridão?

Pai, que eu tome o que me dás e dê o que me tomas. Não me deixes te recusar. Estou tão perto de dizer "Não"! Concede-me coragem para continuar sorrindo a ti, sorrindo para a Mão que me golpeia, sorrindo para a Mão que me prega à cruz. Tudo o que posso fazer é, como um cachorrinho, seguir tuas pegadas — as pegadas de meu Mestre. Doce Jesus, deixa-me ser um cachorro alegre. Dá-me forças para continuar dizendo "Sim", para sorrir diante de teu rosto oculto — sempre.[1]

A grande "contradição"

O mundo conhece o nome dela. Madre Teresa.[2] A santa de Calcutá.

Desde os dias de sua juventude no que é agora a Macedônia do Norte, ela ansiava por "amar a Deus como ele nunca foi amado antes". Jurou dedicar a vida a seu serviço como freira entre as Irmãs de Loreto. O compromisso da congregação religiosa com a educação a levou à Índia para ensinar. Lá aquela jovem corajosa se sobressaiu. Durante quase vinte anos, cuidou das alunas e depois, como diretora, das professoras sob seu comando. As irmãs a respeitavam e notavam seu relacionamento precioso e íntimo com Jesus.

Nessa temporada de doçura e luz, ela recebeu um chamado (aparentemente na forma de uma série de visões e vozes) para formar uma nova congregação, as Missionárias da Caridade. Jesus a chamou para ser sua luz nos "buracos escuros" dos mais pobres entre os pobres de Calcutá, para se tornar as mãos e os pés dele servindo aos necessitados e destituídos.

Depois de esperar quase dois anos pela aprovação das superioras espirituais, Madre Teresa se separou corajosamente da ordem a fim de fundar a nova congregação. O início das Missionárias da Caridade não foi nem um pouco glamoroso. Ela se afastou de todos os que conhecia, de todo conforto, de toda segurança. Não tinha lar nem seguidores, e contava com apenas cinco rúpias no bolso. Seguiu em obediência cega e, como ela mesma diz, "muito pouca coragem".[3]

Com o passar dos anos, no entanto, Deus abençoou seu ministério, e as Missionárias da Caridade cresceram. Outras irmãs somaram-se à ordem. Fundaram lares para os moribundos e necessitados, assim como programas para crianças de rua. Iam aos bairros pobres e cuidavam dos doentes. Quando as autoridades da igreja concederam aprovação para começar a construção na periferia de Calcutá, as Missionárias da Caridade se espalharam lentamente pelo mundo, cuidando em todos os lugares daqueles que eram indesejados, abandonados e esquecidos.[4] Como sua fundadora, Madre Teresa recebeu aclamação internacional, inclusive o Prêmio Nobel da Paz, por seu amor eterno pelos "pequeninos".

Sob a superfície, porém, por trás do sorriso vincado que acolhia o sofrimento, havia uma mulher que estava sofrendo. Desde o tempo em que obedecera pela primeira vez ao chamado de Deus para iniciar a vida como Missionária da Caridade, a intimidade que ela desfrutava com ele desaparecera. Era como se, a partir do momento em que ela passou a ter maior necessidade dele, ele houvesse resolvido silenciar. Ela não sentia mais sua presença. Sentia-se sozinha, abandonada. "A Obra" florescia, mas ela própria estava desolada.

É surpreendente ler as palavras de Madre Teresa a seus conselheiros espirituais sobre sua luta. Ela é considerada um exemplo de religiosa particularmente próxima a Deus — uma santa. É lembrada como uma pessoa cheia de amor e alegria. E, contudo, nos lugares mais recônditos do coração, ela não possuía nenhum dos sentimentos que esperaríamos. A seguinte carta a seu confessor fornece um vívido retrato do estado de seu coração, mente e alma "nas trevas":

> Senhor, meu Deus, quem sou eu para que me abandones? A filha do teu amor, e agora transformada na mais detestada, aquela que jogastes fora como indesejada, desprezada. Eu chamo, me agarro, quero, e ninguém responde, ninguém a quem eu possa me agarrar — não, ninguém. Sozinha. As trevas são tão escuras, e estou sozinha. Indesejada, abandonada. A solidão do coração que deseja amor é insuportável. Onde está minha fé? Mesmo lá no fundo, lá dentro, não há nada além de vazio e trevas. Meu Deus, quão dolorosa é essa dor desconhecida! Dói sem cessar. Não tenho fé. Não ouso pronunciar as palavras e pensamentos que povoam meu coração e me fazem sofrer uma agonia incalculável. Tantas perguntas sem respostas vivem dentro de mim... tenho medo de revelá-las, por recear a blasfêmia. Se Deus existe... por favor, perdoa-me. Confio em que tudo terminará no

> céu com Jesus. Quando tento erguer meus pensamentos ao céu, há um vazio tão condenador que aqueles mesmos pensamentos retornam como facas afiadas e ferem minha própria alma. Amor — a palavra — não traz nada. Dizem-me que Deus me ama, e no entanto a realidade de trevas e frieza e vazio é tão grande que nada toca minha alma.[5]

A emoção deu lugar ao entorpecimento. A plenitude da presença de Deus se transformou em uma concha vazia. Ela gritou para os céus: "Tu me vês aqui? Por que me abandonaste?". Mas então se perguntou se havia mesmo alguém para escutar seu chamado. Se apenas Deus lhe desse um pouco de consolo, um pequeno sinal de seu terno afeto! Se apenas ela tivesse forças para agarrar-se à fé. A dor era profunda, profunda demais para ela manter a confiança. Tateava no escuro, esperando não se perder. Com a exceção de um mês de trégua, permaneceu nessa noite escura da fé durante quase cinquenta anos, até a morte. Sua jornada foi de fé, não de visão.

Um coração de pedra: Madre Teresa sofria de depressão?

Durante décadas, poucos souberam dessa perturbação interna de Madre Teresa. O "manto" de seu sorriso ocultava-lhe a angústia até daqueles mais próximos. Somente após sua morte o mundo descobriu sua dor.[6] Desde então, alguns usaram a revelação de seu sofrimento espiritual para tentar desacreditá-la. Analisaram as motivações dela e emitiram julgamentos sobre sua psique. Declararam-na uma fraude, uma charlatã que exibia uma máscara de fé para encobrir a dúvida e o desespero. Os críticos mais duros chegaram até a usar sua experiência para difamar o Deus que ela adorava e a fé a que devotara a vida. Mas as palavras que ela registrou nos contam uma história diferente. O sorriso de Madre Teresa não era insincero ou hipócrita. Era uma reação de fé em Jesus e amor por ele, uma tentativa de aceitar alegremente tudo o que ele lhe desse ou negasse, mesmo que fosse sua presença. Ela fez um voto durante seus dias em Loreto de não recusar nada a Jesus. O sorriso era seu meio constante de dizer sim a Jesus, mesmo quando isso ocultava um coração partido. Não podemos negar que seu testemunho de vida está repleto de obras altruístas e alegria emblemática.

Mas será que precisamos, como ela diz, aceitar tudo — até a dor mais profunda — com um sorriso? Por mais que eu admire Madre Teresa, não consigo concordar com ela a esse respeito. Acredito que há espaço na vida cristã para o luto, para a lamentação, e, sim, até para a dúvida. No Jardim do Getsêmani, a fiel submissão a Deus levou o próprio Jesus a se curvar até o chão, chorando, em agonia. E, em minha própria vida, às vezes a fé e a alegria permanecem enquanto as lágrimas descem pelo rosto.

Ao analisar o legado externo de Madre Teresa, pergunto-me o que fazer com as trevas que ela descreve. Será que ela estava deprimida? Não consigo responder definitivamente a essa pergunta. É possível. Mas as cartas aos confessores e conselheiros espirituais mais próximos são a única prova que temos de suas lutas e, embora elas revelem seu estado espiritual, não fornecem informações suficientes para que avaliemos se sofria ou não de depressão clínica.

O que sei é que, ao ler suas palavras — as orações, os questionamentos, as dúvidas —, escuto ecos de meus próprios gritos a partir das trevas. Vejo algo que reconheço.

Então, quer Madre Teresa estivesse deprimida, quer não, sua presença ainda é necessária nas páginas deste livro. Não temos como diagnosticar seu estado psicológico, mas muitos de nós encontramos nela uma companheira peregrina, com provações espirituais semelhantes às que temos experimentado na depressão. Ela nos transmite a sabedoria de como navegar na vida espiritual quando o céu parece ter silenciado, quando as orações ecoam no vazio, quando o consolo da fé desaparece. Ela nos dá um exemplo de como permanecer na vida espiritual quando sentimos que estamos simplesmente tateando no escuro.

Com frequência, a depressão afeta nosso senso da vida espiritual. Sei que não estou sozinha na experiência de me sentir abandonada por Deus em minhas necessidades mais profundas. Na dor mais intensa, nas trevas mais densas, deparo-me com o silêncio de Deus. Nenhuma emoção. Nenhuma certeza. Dificuldade em orar. As Escrituras perdem o encanto. Indago-me qual o objetivo de tudo isso. Vale a dor? Por que ele me deixa aqui quando mais preciso dele? Sou os discípulos jogados às ondas enquanto ele está dormindo. Sou Maria e Marta enrolando o corpo sem vida do irmão, deitando-o em um túmulo, cobrindo-o de modo que não ficasse visível — e Jesus não está lá. Minha alma dói com a pergunta do salmista, o grito de Cristo na cruz: *Meu Deus, meu Deus, por que me abandonaste?*

Em um tempo em que nosso corpo está exausto, a mente confusa, o coração cheio de dor, a ideia de mais uma área de esforços, de fracasso, de futilidade é quase mais do que podemos suportar. Alguns de nós somos tentados a abandonar a fé. Ficamos confusos sobre como proceder quando o chão treme. Muito disso se baseia na percepção de nossos sentimentos.

Não sinto a presença de Deus, por isso me julgo abandonada ou me pergunto se ele se importa. Meu coração hesita diante das palavras das Escrituras, porque elas não trazem consolação tangível — então questiono se são verdadeiras. Minha fé não parece mais a mesma ou a depressão bloqueia minha capacidade de me conectar com ela como fazia antes, e em consequência disso questiono sua legitimidade.

É aí que o exemplo da Madre Teresa nos oferece um caminho a seguir. Ela nos lembra de que a fé e a lealdade são maiores do que nossos sentimentos. As emoções, a consolação e a "sensação de aconchego" da fé são maravilhosas quando vêm, mas não são o teste decisivo sobre a existência de Deus, a esperança do evangelho, ou a fé que ele plantou em minha alma. Essas realidades são maiores do que os sentimentos que se tornam obscurecidos e amortecidos pela depressão.

Madre Teresa também nos lembra de que nossos sentimentos não são o verdadeiro teste de nosso crescimento em santidade. Podemos continuar a ser forjados como seguidores de Jesus, a ter seu fruto cultivado em nossa alma. Frutos de amor, bondade, humildade e até alegria podem crescer no escuro. Podemos não vê-los — ou melhor, "senti-los" —, mas isso não significa que eles não estejam lá. A depressão não interrompe nosso crescimento em piedade. Não coloca nossa vida espiritual em pausa. Madre Teresa nos mostra como é isso concretamente.

Certa vez ela disse: "Agradeça a Deus porque fomos instruídos a seguir Cristo. Como não preciso ir à frente dele, mesmo nas trevas o caminho é seguro. Quando alguns dias são acima da média, eu só fico parada como uma criança bem pequena e espero pacientemente que a tempestade se acalme".[7] As luzes se apagaram. O caminho adiante se tornou obscuro. Mas ela continuou andando. Foi em frente, sem confiar nos sentimentos, e apesar das dúvidas que a falta deles lhe despertava na alma. Não permitiu que tais sentimentos a fizessem desistir da fé, mesmo quando parecia que a fé havia se dissolvido. Treinou os olhos a ver até os mais pálidos contornos de Jesus seu Salvador — e continuou andando. Seguiu Jesus no escuro.

A fé demonstrada por Madre Teresa pode parecer hercúlea demais para que consigamos atingi-la. Mas eu lhe garanto: houve momentos em que a crença dela estava fraca. Ela questionou a existência de Deus e duvidou da própria fé. As palavras que visavam consolá-la espiritualmente lhe trouxeram apenas mais perguntas.

Vemos isso em alguns dos conselhos que ela recebeu de seus conselheiros espirituais, como quando um deles a lembrou da proximidade de Deus. Isso é dito a muitos que questionam a presença de Deus em meio à dor. Eu o escutei. Eu o disse a outras pessoas — porque acredito que seja verdade. As Escrituras nos mostram um Deus que é próximo dos que estão tristes, que se aproxima dos fracos, que adentra a confusão conosco. Mas pode ser difícil essa verdade ressoar em nosso coração partido e deprimido. Madre Teresa escreveu: "Minha alma é como [um] bloco de gelo... não tenho nada a dizer. Você diz que Deus está 'tão perto que não se pode vê-lo nem ouvi-lo, nem mesmo vivenciar sua presença'. Não entendo isso, Padre... e, apesar disso, gostaria de entender".[8] Ela não entendia como Deus podia estar perto quando seu coração se sentia daquela forma, mas queria entender. Continuou a ir em frente, tendo fé em que, de algum modo, em algum lugar, de alguma forma, ele ainda estivesse ali. Vê-la lutando com sua fé em formas que reconheço me dá um estranho tipo de conforto. Dá-me permissão para lutar também e saber que essa luta não precisa minar minha caminhada com Deus.

Impotente, mas ousada: oração e obediência nas trevas

Independentemente de seus sentimentos, Madre Teresa continuou a buscar Jesus em oração. Mas a oração (e outras disciplinas espirituais também) parece diferente no escuro em relação ao que parecia nas temporadas de luz, calor e deleite. Tudo parece diferente. A "ajuda e consolação" que a oração costumava fornecer desapareceu.[9] Em vez disso, seu coração estava repleto de dor e desejo.

> Às vezes, apenas escuto meu coração gritar: "Meu Deus", e nada mais acontece. A tortura e dor que não consigo explicar... Antes eu conseguia passar horas diante de Nosso Senhor, amando-o, conversando com ele, e agora nem mesmo a meditação vai bem, nada além de "Meu Deus", e mesmo isso às vezes não vem. Entretanto, lá no fundo, em algum lugar de meu coração, esse desejo por Deus continua avançando nas trevas.[10]

A unidade que ela experimentara com Deus em oração e a sensação de estar em sua presença se dissiparam a tal ponto que ela insistia em que não orava, não conseguia mais orar. Seus lábios formavam palavras, mas elas não lhe traziam mais uma sensação de conexão ou paz. Ela lutava com a própria existência de Deus, mas, apesar disso, dirigia todos esses pensamentos e sentimentos a ele — apesar de tudo, ela orava.

Ela orava, e Jesus se reunia a ela no caminho. Estava com ela em suas palavras sufocadas. Estava com ela quando ela estava cercada pelas orações das irmãs durante as orações da comunidade. Estava com ela quando ela andava pelas ruas de Calcutá. Ela orava corajosamente sobre sua dor, chegando a contar a Deus que não sabia se acreditava nele: "A escuridão é tanta que não vejo realmente, nem com a mente, nem com a razão. O lugar de Deus em minha alma está em branco".[11] Quaisquer que fossem seus sentimentos, ela depositou diante de Deus seus pensamentos, questionamentos e mágoas.

Nesse sentido, as cartas e orações dela me lembram os salmos de lamentação na Bíblia. Ela não sabia o que orar e às vezes não estava convencida de que Deus estivesse escutando ou que estivesse mesmo ali. Mas entregou o coração ferido a ele, continuou orando, continuou chamando. Bateu à porta do céu, suplicando que Deus a escutasse, suplicando-lhe que aparecesse. Isso não removeu a dor que sentia. Não fez surgir uma súbita luz em meio às trevas. Mas a manteve no lugar certo — aos pés dele. E essa fé e confiança pequenas, singelas, como as de uma criança, bastaram para fazer com que ela prosseguisse durante toda a vida.

Outra prática que ajudou Madre Teresa a encontrar o caminho nas trevas foi a obediência. Certa vez ela a chamou de "a única coisa que me mantém na superfície".[12] Outrora ela havia escutado o chamado de Deus. Fora chamada a dedicar a vida a seu serviço, a segui-lo servindo aos pobres, a liderar uma congregação religiosa, a cuidar dele atendendo às necessidades dos que sofriam. Então, mesmo quando sua vida interior se tornou "gelada", mesmo quando tudo dentro dela eram "trevas", ela foi em frente com uma "fé cega".[13] Em uma carta, ela escreveu:

> Se existe inferno, deve ser isto. Quão terrível é estar sem Deus, sem oração, sem fé, sem amor. A única coisa que ainda permanece é a convicção de que a obra é dele, que as irmãs e os irmãos são dele. E me agarro a isso como alguém que não tem nada se agarra a uma palha, antes de se afogar. E, ainda assim, Padre, apesar de tudo isso, quero ser fiel a ele, consumir-me por ele, amá-lo não pelo que ele dá, mas pelo que ele tira. Estar à disposição dele.[14]

Ela não entendia tudo. Não tinha respostas para a razão pela qual sofria. Mas continuou a seguir as últimas ordens do Mestre, agindo todos os dias em obediência da melhor forma que conhecia. Saber que estava fazendo a obra de Deus era reconfortante quando tudo o mais parecia perdido.

A atitude de Madre Teresa é inspiradora, mas fico pensando em como imitá-la. Nossas situações são tão diferentes! Não sou uma freira, sujeita à obediência a meus superiores religiosos. Não recebi um chamado claro, específico como ela.

Sei também quão debilitante pode ser a depressão. Como qualquer doença, ela afeta cada um de nós de modo diferente. Como qualquer doença, ela força alguns de nós a "andar claudicando" e faz com que outros desmoronem. Alguns de nós talvez consigamos dar continuidade a nossos trabalhos ou prosseguir aos trancos e barrancos com nossas atividades e responsibilidades. Outros de nós mal conseguimos sair da cama a cada dia.

A depressão não mostra que alguns são mais obedientes ou fiéis do que os outros. Não quero usar o exemplo de Madre Teresa para dizer que devemos escolher o caminho da integridade ou que aqueles de nós incapacitados pela depressão são fracos, desobedientes ou infiéis.

No entanto, acho que Madre Teresa ainda tem algo a nos ensinar aqui. Nós também podemos procurar ser fiéis e obedientes em meio à profunda dor. Não precisa ser um ato grandioso — e não precisa conduzir à culpa em relação a tudo o que a depressão nos impede de fazer. (Já temos culpa suficiente.) Pode ser tão simples quanto sair da cama, escolher a vida colocando nossos pés no chão. Pode ser tomar a medicação conforme a recomendação dos médicos ou dar o corajoso passo de pedir ajuda. Pode ser fazer exercícios ou deixar aquele amigo levar-nos para um café. É dar o próximo pequeno passo depois de ficar em pé.

Deus planejou "boas obras [...] de antemão [...] para nós" (Ef 2.10). Ele criou você com paixões e habilidades únicas, com um belo estilo por meio do qual só você pode refleti-lo no mundo. Ele o convidou a participar da obra de seu reino. "Obediência" a esse "chamado" é viver cada momento na fé em que você ainda acredita que isso seja verdadeiro, mesmo quando seu mundo e visão daquele reino são fracos. Siga Jesus, nesse jeito humilde e hesitante. Isso é o que significa ser fiel.

Aprender o amor no sofrimento

Enquanto Madre Teresa buscava seguir Jesus fielmente, sua dor esculpia profundezas dentro dela para o cuidado dos outros. Ela procurava Jesus nas trevas — e o encontrou nas trevas vivenciadas por outras pessoas. Encontrou a presença dele no sofrimento.

Ela falava com frequência em cuidar daqueles que eram indesejados e desprotegidos — essa era a pior forma de pobreza, insistia. A compaixão por eles cresceu sem cessar à medida que ela, ano a ano, se sentia indesejada, desprotegida, abandonada e negligenciada por Deus. Ela afirmou: "A situação física de meus pobres abandonados nas ruas, indesejados, desprezados, abandonados, é o verdadeiro retrato de minha própria vida espiritual, de meu amor por Jesus".[15] Ela conhecia a dor que eles vivenciavam — e a dor que ela suportava proporcionava ainda mais empatia. O sofrimento gerava o amor. Mais tarde ela o diria assim: "Vim a amar as trevas"[16] — porque descobriu que as trevas eram parte da obra, parte de sua capacidade de servir aos outros.

Não estou sugerindo que precisemos chegar a "amar as trevas" da depressão, da mesma forma como não sugiro que devamos amar uma perna quebrada. Dor é dor, e não há necessidade de espiritualizar o masoquismo. Mas qualquer forma de dor, inclusive a depressão, pode nos moldar de forma positiva se assim permitirmos. Deus pode, em sua graça, transformar os efeitos de nossa dor em algo bom. O Deus que ressuscita, que dá vida ao que está morto, pode extrair as cinzas de nossa agonia e criar beleza. Pode usar nosso sofrimento para nos ensinar a amar.

Não é aqui também que irei lhe dizer que você conseguirá sentir esse processo à medida que ocorre. Não — a maior parte do tempo nós temos a companhia dos questionamentos e da dor. Perguntamos, como fez Madre Teresa: "Onde está Jesus? Quanto tempo ficará ele afastado?". Indagamo-nos como Deus pode nos usar. Estamos tão absolutamente esvaziados de pensamentos e emoções que a possibilidade de tal esperança nem é percebida.

Porém um dia você se senta à mesa diante de alguém e reconhece seus olhos vazios, exaustos. Você lê uma longa carta que lhe corta o coração. Você atende o telefone e escuta um "alô" suspirante. E, nesse dia, você se lembra. Lembra-se da dor e da desorientação, do sabor amargo. Vê neles algo que reconhece — e você sabe como amá-los, porque já andou pelo vale das sombras.

Esses são os momentos em que podemos dizer, com Madre Teresa, que viemos a "amar as trevas" — não em si mesmas, mas porque elas se tornaram o campo de treinamento para nos equipar a ajudar outro viajante sofredor.

7
Martin Luther King Jr.

Beba do reservatório da resiliência

O ar marítimo pairava denso a seu redor. Ele aguardou a noite, acompanhado pelo ritmo das ondas. Elas eram constantes, como a respiração — o inalar da água puxada para o mar, o ímpeto enquanto ela abria caminho até a praia.

Haviam-no enviado ali para descansar, mas o sono lhe fugia. Estava exausto, esgotado, a mente enevoada pela fadiga, mas continuava acordado em uma cama estranha. As pílulas para dormir já não funcionavam. Ele escutava o amigo Ralph roncando na cama ao lado. Aquele ronco havia sido um companheiro na longa noite de muitas celas de prisão.

Angustiado pela falta de sono, ele fora para a varanda e agora estava lá fitando, sem realmente ver, a imensidão do mar. As ondas quebravam, ávidas, contra uma rocha lá embaixo. As palavras da canção lhe ocorreram espontaneamente: "Neste mundo sozinho, não quero nem posso avançar; pois eu sou tão fraquinho, nunca me posso guardar. Mas Jesus vai comigo, sempre pronto a salvar; pois ele mesmo promete que nunca irá me deixar".

Apesar disso, ele se sentia muito sozinho. Achou que eles entenderiam quando discursara contra a guerra. Como podia ele defender a não violência em casa quando a violência dizimava a vida daqueles no exterior? Os comentários da imprensa eram arrasadores, mas isso não era nada novo. Amigos e aliados voltando-se contra ele, no entanto

— aquilo magoava profundamente. Eles pararam de lhe telefonar. Pararam de contribuir. Acusaram-no de se desviar da causa. Não era mais a voz zangada, anônima, ao telefone à meia-noite dizendo-lhe para manter a boca fechada, caso contrário... Era a voz daqueles em quem ele confiara. A solidão pesava. Ele estava sendo abandonado.

As ondas cintilavam em tons prateados sob a luz da aurora que se aproximava. Ouviu Ralph se mexer atrás dele. Movia-se em passos rápidos, alarmado. Dava para se perceber na voz dele: "Michael, qual é o problema?". Sorriu ao ouvir o amigo usar seu nome de infância. Querido Ralph. Seu mais caro amigo. Quando Martin se fosse, seria pesada a carga que iria cair sobre o amigo.

Martin fez um gesto na direção do som das ondas que quebravam. "Quem colocou aquele rochedo lá?", perguntou. Quem *o* colocara aqui, no meio dessa confusão, na liderança desse movimento? "Sabe o que eu estava pensando, Ralph? Rocha eterna, que prazer eu terei de em ti viver." A voz de barítono de Martin quebrou o silêncio da madrugada enquanto as palavras brotavam-lhe do íntimo. Sentia-as enchendo-lhe o peito, sentia a garganta apertada diante da necessidade desesperada de que aquelas palavras fossem verdadeiras.

Como dar seguimento a essa luta? Como conseguiria voltar a abraçar o incômodo manto da liderança? As ondas quebravam sobre ele — ondas de culpa, de inadequação, de fracasso, de destruição. Como conseguiria resistir a elas?

"Nem trabalho, nem penar, pode o pecador salvar [...]. Eis que vem a morte atrás desta vida tão fugaz. [...] Rocha eterna, que prazer eu terei de em ti viver."

A imensidão das ondas acentuava sua solidão e fraqueza. Deus, porém, era seu refúgio e sua rocha.[1]

Insone em Montgomery: a formação de um líder

Quando a voz solitária de Martin Luther King Jr. ecoou sobre as águas de Acapulco, México, ele estava perto do fim de sua jornada terrena e em meio a um dos períodos mais difíceis de sua vida. Ele estivera no combate do movimento pelos direitos civis durante cerca de doze anos, desde que fora projetado à liderança aos 26 anos, enquanto pastor na Igreja Batista da Avenida Dexter em Montgomery, Alabama. Ele e a jovem esposa, Coretta, haviam acabado de dar as boas-vindas a seu primeiro filho quando uma costureira chamada Rosa Parks se recusou a ceder o assento em um ônibus segregado em Montgomery. A prisão de Rosa e a acusação judicial contra ela incitaram o célebre boicote aos ônibus. A recém-formada Associação para o Progresso de Montgomery [MIA, na sigla em inglês] elegeu King como presidente, apesar de sua juventude, em grande parte porque ele era um recém-chegado com poucos laços de lealdade política.

Desde o início, ele ficou intimidado com a responsabilidade que lhe fora confiada, achando-se despreparado para a tarefa monumental que o aguardava. Ao trabalhar em seu primeiro discurso como presidente recém-eleito da MIA, esses sentimentos se tornaram avassaladores. Sentiu-se "quase dominado, obcecado por uma sensação de inadequação". A ansiedade paralisou-lhe a mente, bloqueando o fluxo de palavras. Nesse momento, ele recorreu à oração, confiando em um Deus "cujas forças incomparáveis sobrepujam as fragilidades e inadequações da natureza humana". Orou pedindo forças e orientação — e então começou a escrever. Isso acabou sendo o padrão de tudo o que aconteceria depois.[2]

Meses depois, quando o boicote diminuiu, ele "quase desmoronou sob os golpes contínuos" de argumentos de que era jovem demais para liderar, de que havia "tratorado" os líderes locais para se tornar presidente, de que todo o protesto estava fadado ao fracasso. Não conseguia dormir. Parecia não haver escolha senão renunciar. Mal acabara de fazer o discurso de renúncia diante do conselho quando este votou unanimemente para mantê-lo na presidência.[3]

Mesmo depois de ter obtido reconhecimento e respeito mundial, a sensação de inadequação ainda atormentava King. Às vezes, esses sentimentos simplesmente refletiam sua humildade.[4] Outras vezes, contudo, especialmente por volta do fim da vida e nos momentos de depressão, esses sentimentos eram fruto de algo mais sombrio. Seu colega Andrew Young relatou:

> Por mais que ele fizesse, sempre se culpava por não fazer o bastante. Era o tipo de viciado no trabalho que nunca se contenta. Era movido por um tipo de necessidade de perfeição. E estava sempre achando que não estava fazendo o melhor. Creio que era porque sentia que não era bom o bastante para ser o líder. Esses eram os períodos em que ele ficava fisicamente exausto, de verdade.[5]

Apesar desses sentimentos, ele conseguiu, bem ou mal, sustentar o manto da liderança. O boicote aos ônibus de Montgomery se estendeu por quase um ano, até a Suprema Corte dos Estados Unidos declarar inconstitucionais as leis de segregação de Montgomery. Foi a primeira grande vitória de King no movimento dos direitos civis.

O envolvimento, as viagens, os escritos, os discursos e o trabalho de organização foram incessantes ao longo da década seguinte. Não temos espaço aqui para detalhar todo o extenso trabalho de King em defesa dos direitos e da dignidade dos afro-americanos,[6] mas vou destacar alguns acontecimentos. O boicote aos ônibus em Montgomery levou à criação da Conferência da Liderança Cristã do Sul [SCLC, na sigla em inglês], que desepenhou um papel ativo em muitas das lutas pelos direitos civis durante as décadas de 1950 e 1960.[7] King atuou como presidente até morrer.

Em 1963, quase oito anos após seus inícios em Montgomery, King se viu decisivamente envolvido na defesa da liberdade em Birmingham, Alabama, que se tornaria um dos mais célebres confrontos da era dos direitos civis — algo que despertaria a consciência da nação.

No final daquele ano, King fez seu famoso discurso "Eu tenho um sonho" diante do Lincoln Memorial em Washington, DC. No ano seguinte, foi considerado o Homem do Ano pela revista *Time* e recebeu o Prêmio Nobel da Paz.

Esse é o Martin Luther King Jr. que tantos conhecem. O herói. O campeão. O líder forte, lutando contra a injustiça. Mas, como com todos os nossos heróis, esquecemo-nos de que ele era humano. Ele não era um homem perfeito. Não era invencível. Batalhas pessoais e privadas espreitavam por trás da cena pública.

Tristeza secreta: por que King não buscou ajuda

Martin Luther King Jr. não falava publicamente sobre a depressão. É uma grande perda para nós não podermos escutar relatos de primeira mão sobre sua experiência. Essa realidade também nos coloca um desafio. Como precisamos reunir as peças do estado mental e emocional de King, às vezes é difícil discernir se ele está desanimado, sob pressão, triste ou realmente deprimido. Todos vivenciamos momentos de desânimo ou tristeza em determinadas circunstâncias, mas isso não significa necessariamente que estamos deprimidos. O mesmo se aplica aqui. Distanciados no tempo e sem um relato autobiográfico de seus sintomas, é impossível saber ou diagnosticar seu problema em todos os aspectos.

Alguns avaliam que haveria uma falta de provas, sobretudo porque a imagem pública de King era de um líder confiante e seguro. Felizmente, não estamos limitados à persona pública de King, e os relatos dos amigos mais próximos, conselheiros e colegas contam uma história diferente daquela do rosto sob os refletores. Eles nos contam de King como um jovem que, dominado pelo desespero e culpa pela morte da avó, jogou-se duas vezes de uma janela na tentativa de tirar a própria vida. E contam-nos do irmão de King, A. D., que lutou contra a depressão e o alcoolismo e fez repetidas ameaças de suicídio durante a vida adulta, o que sugere uma possível tendência familiar à depressão.

Aqueles próximos a King confirmam o retrato de um homem atormentado e que lutava ciclicamente contra a depressão. Em particular, apontam o último ano e meio de sua vida, quando King o herói se tornou um dos homens mais odiados nos Estados Unidos e quando a depressão despertou preocupação entre aqueles próximos a ele a respeito da necessidade de um psiquiatra.

Se King estava assim tão deprimido, poderíamos nos perguntar por que não buscou ajuda. Ele é a única pessoa neste livro que teve acesso a algo semelhante ao que poderíamos chamar de tratamento psiquiátrico moderno, mas não o procurou.

De certa forma, a natureza humana é assim. É difícil chegarmos a um ponto em que admitimos que precisamos de ajuda, que não conseguimos manter controle por mera força de vontade, que nosso cérebro se voltou contra nós. Lembro-me de quão penoso foi para mim finalmente aceitar a realidade da depressão, encarar as trevas diante de mim e chamá-las pelo nome. Lembro-me de meus passos pesados ao subir a colina até o centro de aconselhamento de minha faculdade, com uma amiga ao lado para garantir que eu iria à consulta marcada. Lembro-me de esperar que ninguém me visse atravessando aquelas portas, com medo do que pudessem pensar de mim. Quando chegou a hora, relutei em tomar a medicação. Aquelas pequeninas pílulas tinham o sabor da derrota, do fracasso, da falta de fé. Não eram nada disso, é claro — mas a batalha para aceitar isso e aceitar a ajuda de que eu precisava era real.

Também não podemos, no entanto, esquecer o contexto de King como homem negro nos Estados Unidos na década de 1960. Sabemos que, dentro da comunidade negra, a doença mental é subnotificada e muitas vezes diagnosticada equivocadamente.[8] Podemos supor que isso seria ainda mais verdadeiro cinquenta anos atrás. Assim, mesmo que King tivesse buscado ajuda profissional, é possível que não houvesse obtido o auxílio de que precisava. Atendimento psiquiátrico e os primeiros antidepressivos estavam disponíveis, sim, mas ainda eram bastante novos e não tão avançados quanto são agora. Sua existência não eliminava o estigma em torno da doença mental. Esse estigma persiste até hoje, meio século depois.

Acima de todos esses fatores está a dura verdade de que King não era livre para compartilhar sua depressão. Havia muito em jogo. Ele era o líder do movimento nacional e a voz em defesa da não violência, em uma posição delicada, sob ataques de todos os lados. Um reles rumor de que ele estaria em tratamento psiquiátrico teria dado a qualquer um de seus muitos oponentes munição para desacreditá-lo. "Estão vendo, ele é louco", poderiam dizer.

E não há dúvida de que haveria rumores, talvez até declarações em megafones, anunciando seu tratamento psiquiátrico ao mundo. O FBI grampeara seu telefone e espionava de modo tão invasivo — às vezes até ilegalmente — a vida de King que seria apenas questão de tempo até eles terem plena documentação de suas consultas. Na verdade, um dos médicos de King em Nova York sugeriu que ele buscasse a ajuda da psiquiatra, mas isso foi considerado fora de questão por medo da interferência do FBI.[9]

Ele não tinha a liberdade de compartilhar seus problemas publicamente. Não tinha sequer a liberdade de procurar a ajuda de que necessitava em particular. Não tinha escolha além de seguir em frente.

Líder da banda com a garganta irritada: a depressão ao final

King foi seguindo em frente durante o último período de sua vida em uma explosão de acontecimentos. Ele lamentava os tumultos que irromperam em grandes cidades do país. Esses tumultos, combinados ao surgimento do movimento Black Power, que questionava a eficácia da não violência e rejeitava veementemente suas tentativas de trabalhar com aliados brancos, fez com que ele pusesse em dúvida o futuro do movimento da não violência.[10]

Ele tivera medo anos antes, na sequência dos protestos de Montgomery, de chegar ao auge cedo demais na carreira, de cair na irrelevância. E agora sentia como se esses temores estivessem se realizando.[11] A influência que ele exercera estava decaindo aos poucos. A nova geração de líderes negros que surgia questionava sua autoridade e suas táticas. Outros líderes negros, como aqueles de Chicago, onde ele fora ajudar em uma crise habitacional, queriam que ele tratasse da própria vida e não perturbasse suas comunidades.[12] Ele estava perdendo apoio e perdendo a força.

Essa mudança se solidificou depois que ele falou decididamente contra a guerra do Vietnã no célebre discurso na Igreja de Riverside, na cidade de Nova York. Lamentando a violência da guerra, ele havia finalmente decidido falar contra ela — e, ao fazê-lo, contrariou o mesmo presidente que havia sido seu maior aliado nas questões de direitos civis. Sua decisão provocou as críticas mais duras que recebeu na vida. Ele perdeu o apoio já em declínio da Casa Branca e foi massacrado pelos jornais. Muitos lhe disseram para ficar em seu lugar, não meter o nariz onde não era chamado. Pior ainda: até os amigos se voltaram contra ele. Esse novo discurso de paz era radical demais, se desviava da causa dos direitos civis ou era uma traição. As pessoas pararam de falar com ele, pararam de convidá-lo a subir ao púlpito, pararam de apoiar o trabalho da SCLC. Foram essas críticas que mais magoaram King. Ele se sentiu abandonado e sozinho. Xernona Clayton, amiga íntima e conselheira dos Kings, declarou: "Ele ficou profundamente incomodado pelo fato de que a nação se voltou contra ele. [...] Eu sempre digo que ele morreu de coração partido".[13]

Em meio a tudo isso, o ritmo febril habitual continuou, ao lado das imensas pressões de ser a figura de proa de um movimento nacional, os constantes temores de não ser bom o bastante para ser o líder do movimento, o longo tempo passado longe de casa e a vigilância invasiva e persecutória do FBI.[14]

Não é de admirar que a equipe e os amigos de King ficassem preocupados. Suas histórias bastam para nos dar um retrato de como a depressão estava corroendo a psique de King, alterando seu comportamento. Diante da impossibilidade de um tratamento psiquiátrico, eles tentaram ajudar da melhor forma que podiam.

A primeira batalha foi aquela que o amigo Ralph Abernathy chamou de "a guerra de Martin contra o sono".[15] King estava cansado. Não parara para descansar durante treze anos. A princípio, havia sido o ritmo frenético que lhe roubara o sono. Com o passar do tempo, a insônia se apoderou mais profundamente dele. Receitaram-lhe pílulas para dormir. Quando elas pararam de funcionar, seus assistentes acharam que ele precisava de "uma abordagem psiquiátrica mais drástica".[16]

Provavelmente estavam certos. A exaustão e a depressão se alimentam reciprocamente. A depressão causa fadiga e dificuldade para dormir, esse purgatório da insônia exausta. A falta de sono pode exacerbar os sintomas da depressão. King estava preso nesse círculo vicioso. Com o passar do tempo, a privação de sono e o desânimo foram se acentuando.

Assistentes e amigos, plenamente conscientes da privação de sono e da depressão subjacente que ela muitas vezes desencadeava, às vezes ficavam acordados com ele, "revezando-se para lhe fazer companhia" nas primeiras horas da manhã, conversando com ele sobre o que quer que estivesse em sua cabeça.[17] Não podiam curar-lhe a depressão ou niná-lo para que adormecesse e descansasse. Mas podiam ficar acordados e conversar.

Eles também tentavam fazê-lo rir. Quando aquele que seria seu último aniversário se aproximou, a equipe ficou preocupada ao ver o senso de humor dele, geralmente forte, diminuindo. Chamaram Xernona Clayton e disseram: "Faz muito tempo que não o vemos rir. Pense em algo para fazê-lo rir".[18] Assim, Xernona reuniu uma série de presentes engraçados para King, em celebração a seu aniversário: uma lata de batatas-palha [em inglês, *shoestring potatoes*, literalmente "batatas-cadarço de sapato"] para quando lhe tirassem os cadarços dos sapatos na prisão, e uma xícara com os dizeres "Estamos cooperando com a guerra à pobreza de Lyndon Johnson. Deposite moedas e notas dentro da xícara". Em uma gravação do momento em que ele recebeu esses presentes, é evidente que Xernona atingiu o objetivo — King dá uma sonora gargalhada, deliciando-se com a brincadeira.

À medida que a equipe e os amigos de King viam o riso dele desaparecer, viam também seu temperamento começar a se incendiar. Antes ele era sempre calmo e silencioso nos encontros animados em que a equipe debatia estratégias. Sendo uma figura paternal, ele escutava atentamente, fazendo apenas as perguntas certas, com paciência e compreensão. Mas isso começou a mudar. Ele começou a explodir de raiva, e sua equipe é que aguentava o pior.

Em um terrível encontro de equipe, pouco tempo antes do assassinato de King, a equipe da SCLC estava dividida e brigando a respeito dos projetos seguintes. King queria ir a Memphis, para apoiar a greve dos lixeiros que estava acontecendo lá, mas a equipe discordava. Eles já estavam sobrecarregados com a Campanha dos Pobres, um plano ambicioso em que milhares deveriam convergir a Washington, DC, a fim de atrair atenção para os pobres de todas as raças da nação. Alguém achou que ele deveria se concentrar mais no movimento de paz no Vietnã. Finalmente, King perdeu a calma e começou a berrar. Isso jamais havia acontecido. Depois de repreender diversos membros da equipe, ele se precipitou para fora da sala, ignorando-lhes as súplicas enquanto eles iam atrás dele no corredor. Ele desapareceu por várias horas.

Exausto e rabugento, King começou a falar mais de sua própria morte. Era como se fosse uma ideia que não lhe saía da cabeça. A possibilidade de uma morte prematura era uma realidade contra a qual ele lutara desde os dias em Montgomery, quando ele e a família viviam recebendo ameaças de morte por telefone e pelo correio, e quando sua casa foi bombardeada. Ele também havia sido esfaqueado na cidade de Nova York dez anos antes de seu assassinato, e os médicos depois lhe disseram que a lâmina chegara tão perto da aorta que bastaria ele ter espirrado para morrer.[19] Ele havia encarado a morte sem medo e dito a muitos de seus amigos íntimos e equipe que havia se reconciliado com ela. Mas, naqueles últimos meses, ele começou a falar disso publicamente.

No último sermão que pregou na Igreja Batista de Ebenézer, onde ele trabalhara como pastor assistente junto ao pai durante anos, King especulou sobre o que gostaria que fosse dito em seu funeral, no célebre sermão "Instinto de líder da banda". Dois meses depois de pronunciar esse sermão, a voz dele foi irradiada em uma gravação para a multidão reunida em seu funeral.

Na noite antes de seu assassinato, ele pronunciou o último discurso em um comício em Memphis, Tennessee, na greve dos lixeiros. Foi um discurso feito sem anotações nem preparação, e quase não aconteceu. Ele estava exausto, com dor de garganta, e não achou que muitos fossem comparecer por causa da intensa tempestade. Não estava com vontade de discursar, declarou. Então permaneceu no hotel e foi para a cama. Quando Ralph Abernathy e o colega de King, Jesse Jackson, chegaram ao comício, encontraram uma vasta multidão desapontada com a ausência de King, então telefonaram a ele e insistiram em que fosse.

Um biógrafo chama esse discurso de "sombriamente pessimista" e "introspectivo, como se ele contemplasse o espectro da morte".[20] King passou logo ao tema de sua própria mortalidade. Contou a história da ameaça de bomba em sua recente viagem de avião a Memphis e das ameaças de morte que o haviam recebido quando chegara. Contou a história da facada que recebera e do bilhete da jovem dizendo que estava "muito feliz porque ele não havia espirrado". Então seus comentários tomaram um rumo assustadoramente profético.

> Como qualquer um, eu gostaria de ter uma vida longa — a longevidade tem sua importância. Mas não estou preocupado com isso agora. Só quero fazer a vontade de Deus. E ele me permitiu subir à montanha. E eu olhei ao redor e vi a Terra Prometida. Posso não chegar lá com vocês. Mas quero que saibam esta noite que nós, como um povo, chegaremos à Terra Prometida. E estou muito feliz esta noite; não estou preocupado com nada; não estou com medo de ninguém. Meus olhos viram a glória da vinda do Senhor.[21]

Ele se virou abruptamente e cambaleou para longe do palanque. Após o fato, sua esposa Coretta achou que ele se emocionara tanto que não conseguiu completar a estrofe da canção que estava citando.[22] Ele parece ter sofrido um colapso ou perdido o equilíbrio e caído nos braços de Ralph Abernathy, que o ajudou a sentar-se, instável, em uma cadeira. Um advogado presente naquela noite afirmou: "Foi como se alguém tivesse segurado uma bola de praia e tirado o pino de repente, como se toda a energia dele houvesse sido sugada".[23] Ele estava esgotado.

Apesar disso, não quis ir embora. Em geral ele se retirava rapidamente, para evitar ser esmagado por uma multidão incontrolável. Naquela noite, porém, quis ficar e conversar com as pessoas.[24] Foi a última oportunidade que teve de fazê-lo. No dia seguinte, a bala de um assassino lhe tiraria a vida.

Beber profundamente do reservatório

Quando comecei a estudar o Dr. King, achei que sabia o que ele tinha a me ensinar. Mas, enquanto lia suas palavras, escutava sua voz ressonante e absorvia os relatos de seu comportamento e atitude, encontrei algo muito mais profundo do que esperara inicialmente. Era mais cru, robusto e humano do que a versão dele arrumadinha, de livro de história. Vi a pressão e o perigo com que ele se defrontou — o suficiente para fazer qualquer pessoa desmoronar psicologicamente. Tomei conhecimento da depressão e ansiedade que ele combatia e mantinha ocultas. E comecei a ver um padrão. Ele se defrontou com circunstâncias difíceis — e não foi impermeável a seu ataque —, mas dispunha de ferramentas nas quais se apoiar, de modo a lhe dar as forças e a esperança de que necessitava para sobreviver. Elas lhe forneceram uma fonte profunda e permanente à qual recorrer para superar o mal, as ameaças de morte, o desânimo e até os ataques de sua própria psique. Era um reservatório de resiliência.

Rindo do pesadelo: reservatório de humor. Sei de ao menos um biógrafo de King que alega que os relatos sobre ele sofrer de depressão eram exagerados, pois como alguém poderia ter tanto senso de humor e lutar contra a depressão? Quando transmiti essa justificativa a um pastor e estudioso negro, ele simplesmente riu. O humor às vezes não vem de um espírito alegre, despreocupado. Ele permite que as pessoas riam daquilo mesmo que lhes causa dor ou representa seu maior terror. É uma forma de lidar com os problemas, um jeito de sobreviver.[25]

King era conhecido pelo senso de humor, e podemos ver como ele o usava para manter os demônios afastados. Ele e seus companheiros defensores dos direitos civis conheciam a ameaça que pairava sobre eles. Ser um homem negro no sul dos Estados Unidos já era uma posição perigosa. Linchamentos aconteciam impunemente. Seu apoio ativo ao movimento dos direitos civis e a atuação em sua liderança os transformavam em alvos. Eles viram amigos e companheiros ativistas serem assassinados. Sabiam que os riscos eram reais.

King entra com o reservatório de humor. "Ora, Andy", ele dizia a Andrew Young, "quando você fizer alguma besteira, sair lá fora e for assassinado, prometo que vou pregar o melhor sermão no seu funeral." E ele se lançava a pregar um panegírico de sátira, destacando os defeitos e peculiaridades de Young (ou de quem quer que fosse o sortudo destinatário do momento). Logo todos estavam rindo — em uma situação real de vida ou morte. O amigo C. T. Vivian afirmou: "Martin brincava sobre isso [a morte] porque não havia como ser diferente".[26]

Como ele lidava com a inimaginável pressão sob a qual se achava? Como lidava com a ameaça de morte? Como lidava com os pesadelos da tristeza da depressão? Ele encontrava alguma forma de zombar de tudo isso. Encontrava algum modo de rir. E, por causa desse humor, ainda que fosse um humor macabro, ele não era dominado.

"Vem com Josué lutar em Jericó": reservatório de canções. Martin Luther King Jr. herdou um rico legado musical. Os *spirituals* e as canções *gospel* que ele tantas vezes repetia e entoava com os companheiros dos direitos civis o encorajavam, como faziam com os escravos que haviam sido seus ancestrais. As letras davam a King — e àqueles dentro da comunidade negra e para além dela — uma linguagem de esperança. Não uma esperança artificial, cega aos sofrimentos da vida, mas uma esperança capaz de encarar os horrores do próprio inferno e não ceder. Era uma esperança ancorada no poder de Deus em justiça e liberação, e na presença dele ao lado dos oprimidos. Era uma esperança que sabia que Deus podia abrir um caminho onde não há caminho.[27]

As canções, entoadas pelas vozes assertivas dos trabalhadores dos direitos civis e as vozes pungentes de cantores *gospel* como a amiga de King, Mahalia Jackson, teceram uma trilha sonora em torno do movimento dos direitos civis. Forneceram um reservatório de esperança ao qual King podia recorrer quando estava desânimado, amedrontado — ou deprimido. Ele apontava esse reservatório a outros também, recorrendo à linguagem dos *spirituals* em seus sermões.

Certa vez, quando King e seus colegas atuavam no Mississippi, ele estava exausto e deprimido. Por mais que os amigos e assistentes tentassem, não conseguiam tirá-lo da cama. Ele se recusava a levantar. A vida lhe parecia cansativa demais, intimidante demais. Queria ficar embaixo das cobertas e simplesmente desaparecer por algum tempo. Ansiava pelo vazio entorpecedor do sono. (Você já sentiu isso?) Mas

King tinha obrigações. Precisava escoltar um grupo de meninas, que seriam integradas a escolas de ensino básico antes segregadas.

Andrew Young foi encontrar Joan Baez, cantora *folk* e amiga íntima de King, e suplicou-lhe que fosse cantar para ele. Baez concordou. Abriu caminho por entre os ansiosos observadores na casa do ministro onde King estava hospedado e entrou no quarto. Então ela começou a cantar:

> Sou um pobre peregrino,
> Vou pelo mundo sozinho,
> Nada espero do destino,
> No céu terei meu cantinho.
> Mandado pra todo lugar,
> Às vezes nem sei, ando ao léu,
> Mas vou tentar construir meu lar
> Na cidade que chamam de céu.[28]

Ela continuou, cantando os versos da velha canção *gospel* que aprendera de uma mulher na Igreja Batista da Rua 16 em Birmingham apenas alguns anos antes.[29] Era a comunidade de uma igreja que conhecia o sabor do sofrimento, pois havia perdido a vida de quatro preciosas meninas em um bombardeio durante a luta em defesa dos direitos civis ali.

As palavras pairaram no quarto na voz soprano solo de Baez. Por volta do segundo ou terceiro verso, King começou a sorrir levemente. Quando ela terminou, ele se levantou, completou sua rotina de higiene pessoal e saiu para tratar das tarefas.[30] Foi o remédio da canção que o atingiu quando nada mais conseguira fazê-lo. Foi a canção que o tirou da cama.

Naquele mesmo ano, King se viu em Chicago, envolvido em uma luta por direito à moradia, a luta que se tornou uma das mais desencorajantes de sua carreira. A violência e o racismo nessa cidade do norte surpreenderam-no e a seus colaboradores, assim como a dura resistência dos líderes negros locais ao envolvimento com a SCLC. Em um vídeo de um dos comícios acontecidos lá, Mahalia Jackson aparece ao lado de King. Ele havia subido ao púlpito e estava se preparando para falar à vasta multidão reunida da Igreja de Deus em Cristo no Vernon Park quando Mahalia, de repente, começou a cantar. Parece algo improvisado, como se ela houvesse voltado a seu lugar apenas para se lançar em outra canção. Pode-se ver um homem correndo em cima do palco e jogando um pequeno microfone para ela.

Assim que King escuta as primeiras palavras, ele abre um leve sorriso. À medida que ela prossegue, a multidão canta alto com ela, batendo palmas no ritmo e se erguendo. Eles haviam captado o espírito da canção. O sorriso de King se amplia até tomar todo o seu rosto, de lado a lado. Ele acena com a cabeça. Ele captou. Mahalia está pregando para ele, tanto quanto para a multidão. Será que ela se virou e viu-lhe o rosto quando ele estava prestes a começar? Será que ela viu como ele estava sério e desanimado? Será que sabia que ele estava deprimido?

Mahalia Jackson estava pregando uma mensagem de esperança por meio das palavras de um velho *spiritual*: "Vem com Josué lutar em Jericó, Jericó, Jericó; vem com Josué lutar em Jericó, e as muralhas ruirão". Mesmo quando a batalha parece sem esperança, mesmo quando as forças contra você parecem grandes demais para ser dominadas, esse não é o fim da história. Com Deus ao seu lado, qualquer batalha pode ser vencida. Ele luta por você, e pode abrir um caminho onde não havia nenhum.[31]

Quando vejo o rosto sorridente de King nesse vídeo, vejo um homem recebendo ânimo, acenando a cabeça como que dizendo: "Estou escutando você, Mahalia. Escuto e entendo".

Ele estava bebendo do reservatório. A cultura da igreja afro-americana o fornecera e preservara para ele. Estava lá para ser bebido todas as vezes que ele se sentia desencorajado, todas as vezes que a depressão o tentava ao desespero e à desistência completa. Permitia-lhe viver com a realidade, mas também com esperança. Fornecia-lhe uma forma de não ser dominado.

"Deus foi meu companheiro de cela": reservatório de espiritualidade. Relacionado de perto a esse reservatório de canção, havia a resiliência dada a King por meio da espiritualidade. Havia um sentido de "companhia cósmica" fundamental em sua espiritualidade. Ele possuía um senso profundo e permanente do Deus que estava com seu povo em meio à vida nas noites mais escuras.

King se viu em uma dessas noites em seus primeiros dias em Montgomery. Acordou no meio da noite, as palavras de um telefonema ameaçador ecoando-lhe nos ouvidos. Quando se sentou à mesa da cozinha com uma xícara de café nas mãos, pensou na esposa e na filha recém-nascida, no que aconteceria se uma daquelas vozes enfurecidas conseguisse executar suas ameaças. O que aconteceria se ele as perdesse? Se elas o perdessem? O peso da luta lhe pareceu demais para suportar. Sentiu-se fraco. Indagou-se como conseguiria prosseguir.

E então ele soube o que fazer — o que seu pai lhe havia ensinado. Inclinou a cabeça sobre a xícara fumegante e começou a orar. Ele estava se sentindo fraco, confessou, e perdendo a coragem. Estava em suas últimas forças, nada mais lhe restava. Então se voltou àquele que detinha o poder e a força, que podia "abrir caminho onde não há caminho". Naquele momento de oração desesperada, naquela noite à mesa da cozinha em Montgomery, Deus foi ter com ele. King sentiu a certeza de sua presença: "Naquele momento vivenciei a presença da Divindade como jamais vivenciara antes. Quase imediatamente meus temores começaram a se dissipar. Minha insegurança desapareceu. Eu estava pronto a enfrentar o que quer que fosse".[32]

Vários meses antes de ele ser morto, durante aquele período em que se sentiu abandonado, sozinho e à deriva, ele pregou na Igreja Batista de Ebenézer sobre Sadraque, Mesaque e Abede-Nego (Dn 3). Enquanto refletia sobre o anjo que aparece com esses três jovens corajosos na fornalha ardente, ele encorajou a congregação (e a si mesmo): "Jamais pense que está sozinho. Vá para a cadeia, se necessário, mas você nunca irá sozinho. Defenda o que considera correto, e o mundo pode interpretá-lo mal e criticá-lo, mas você nunca estará sozinho". Encerrou citando as palavras da canção popular: "Nas tristezas da vida, nas dores e nas aflições, e no lidar do dia, vindo quaisquer tentações, Cristo sempre comigo anda pra me livrar; pois ele mesmo promete que nunca irá me deixar. Nunca me deixar! Nunca me deixar! Pois ele mesmo promete, nunca me deixar!".[33]

Ele aprendera a lição anos antes na cela de uma prisão em Birmingham, onde foi detido por mais de 24 horas em confinamento na "solitária", impedido até de contatar seus advogados. Embora não tenha sido maltratado fisicamente, sua mente foi torturada. A preocupação o consumia. Preocupação com o movimento. Com os outros que haviam sido presos. Com sua vida e a de sua família. Posteriormente ele declarou:

> Aquelas foram as horas mais longas, mais frustrantes e desnorteantes que vivi. [...] Nas manhãs o sol se levantava, enviando raios de luz pela janela no alto da cela estreita que era meu lar. Você jamais saberá o significado de trevas absolutas até estar em uma masmorra como essa, sabendo que a luz do sol está jorrando lá em cima e vendo apenas trevas ali embaixo. Talvez você pensasse que eu estava tendo fantasias, devido à preocupação. Eu realmente me preocupei. Mas há mais na escuridão do que um fenômeno evocado por uma mente preocupada. Qualquer que fosse a causa, a verdade era que eu não conseguia ver a luz.[34]

Quando finalmente permitiram que falasse com o advogado, ele descobriu que seu querido amigo Harry Belafonte havia conseguido arrecadar uma grande quantia de dinheiro para pagar o fiança de outros manifestantes, algo com que King estava extremamente preocupado. Naquele momento, a verdadeira natureza de sua situação se tornou clara para ele:

> Eu nunca estivera de fato na solitária. A companhia de Deus não cessa à porta da cela da prisão. Deus foi meu companheiro de cela. [...] Em meio à noite mais profunda, a aurora havia raiado. Eu não sabia se o sol estava brilhando naquele momento ou não. Mas soube que, mais uma vez, eu conseguia ver a luz.[35]

A companhia de Deus não cessa à porta da cela da prisão. Deus foi meu companheiro de cela. Ao final de sua vida, King acrescentaria ainda mais a essa sabedoria. A companhia de Deus não cessa com o assassinato de amigos, com a frustração da justiça, com as críticas e calúnias mais duras. A companhia de Deus não cessa quando cometemos erros ou quando nos vemos frente a frente com a morte. Ele é nosso companheiro de cela no medo, na exaustão e na depressão. Ele prometeu nunca nos deixar.

* * *

O reservatório de resiliência de King foi alimentado por sua cultura como afro-americano. Havia sido bem preparada e posta frequentemente à prova por seus ancestrais durante décadas de escravidão, segregação, racismo, violência e ódio. A fé, os *spirituals*, o humor foram dádivas obtidas com muita luta que eles lhe haviam concedido — e elas lhe possibilitaram sobreviver.

A resiliência nos permite agarrarmo-nos à esperança em meio às dores da vida — até a dor oculta dentro de nossa mente. Permite-nos ir em frente, reagir, ser "derrubados, mas não destruídos" (2Co 4.9). Para alguns de nós, ela vem naturalmente. Nossa cultura, família ou circunstâncias da vida podem ter-nos ensinado anteriormente como não deixar que a dor tenha a última palavra. Para outros de nós, é algo que precisamos aprender, cultivar e praticar. Nosso arsenal deve ser montado à medida que avançamos.

Como King, você pode recorrer aos reservatórios de humor, música ou espiritualidade. Pode recorrer ao apoio da família e amigos, como eu fiz, e descobrir que o amor deles é uma boia. Esses reservatórios não removem a dor. Não dissipam de imediato em nossa mente a densa neblina da depressão. Mas nos fornecem âncoras, firmes e fortes, para nos apoiarmos até a luz começar a raiar novamente.

Conclusão

As águas são profundas, mas o fundo é firme

Madre Teresa certa vez declarou: "Se alguma vez eu me tornar uma santa, serei com certeza uma santa das trevas".[1] Quando analisamos sua vida, vemos claramente que as trevas que ela suportou moldaram-na como a santa celebrada hoje. Vemos seu fogo purificando-a, santificando-a, ensinando-lhe sobre o caráter de Deus. As trevas deixaram nela sua marca, pois ela entrou em contato com o Invisível que permanecia com ela em seu sofrimento, aquele que conhecia a aflição e "o sofrimento mais profundo" (Is 53.3). Vemos isso em todos os irmãos e irmãs neste livro.

Nós os chamamos de santos não porque fossem perfeitos ou sobre-humanos — eles eram pessoas normais, como você e eu. Sua experiência não era muito diferente da nossa. Apenas ocorreu em diferentes tempos e locais. Eles sentiam tristeza. Tinham dúvidas. Cometiam erros. Cresceram na compreensão de Deus e de si mesmos. Tropeçaram em suas tentativas de segui-lo.

E sofriam de depressão. Beberam desse cálice amargo, conheceram seus horrores e combateram seus demônios — assim como eu fiz, e talvez você também. Mas eles eram santos que seguiam Jesus como Salvador e Senhor, que cresciam sempre em sua formação como discípulos.

Porém suas histórias não se referem apenas a aprender a seguir Jesus nas trevas. Madre Teresa queria dizer mais do que isso em suas palavras. Ela explicou que estaria presente para levar luz às trevas daqueles neste mundo. Seria uma santa para suas trevas. Uma santa que os guiaria através da dor.

Essa é a verdadeira força das histórias desses amigos que encontrei ao longo dos anos. Eles são guias e companheiros nas trevas da depressão. Oferecem um pouco de luz no caminho. Não uma luz que vinha deles mesmos, mas uma luz que refletia o Deus que estava com eles — mesmo quando eles não o conseguiam ver.

Precisamos de seu encorajamento. Precisamos da esperança que eles nos trazem à memória. Precisamos abraçar a sabedoria que nos oferecem.

* * *

Em uma de suas muitas referências a *O peregrino*, Charles Spurgeon descreve a história de Cristão e seu companheiro Esperança ao atravessarem o Rio da Morte. Cristão teme ser tragado pela correnteza, mas Esperança o segura. "Não tema; alcancei o fundo", ele diz. Spurgeon viu nessa imagem uma metáfora de nossas provações. Nossos companheiros e até nosso Salvador nos seguram em meio às ondas e nos exortam: "Não tema! As águas podem ser profundas, mas o fundo é firme".[2]

As águas são profundas, sim — suas profundezas turvas podem despertar terror em nossa alma. A correnteza pode puxar-nos, ameaçando arrastar-nos até seu túmulo aquoso. Ela pode minar nossas forças, fazendo-nos questionar se podemos — ou mesmo se desejamos — prosseguir. Mas o fundo é firme. Continuemos dando mais um passo, não importa se cambaleante ou hesitante. Nosso pé encontrará um lugar onde pousar.

Precisamos de gente que possa nos apoiar em nossas lutas contra a depressão. Precisamos de gente que possa nos gritar lá da frente. A depressão é um inimigo feroz, dizem, mas não precisa sair vitoriosa. Não precisa ter a última palavra. Nossa utilidade não chegou ao fim. Nosso Deus não nos abandonou. As águas são profundas, mas o fundo é firme.

E não pense que apenas aqueles cuja biografia entra em livros de história podem lhe dar esse encorajamento, meu amigo. Você também pode. Você também tem histórias a compartilhar. Histórias das trevas, sim, mas também de como elas o moldaram, de como você sobreviveu. Você também pode ser um guia para outros em meio às trevas, um companheiro na noite mais profunda. Você também pode levar uma centelha de luz para outra alma que sofre. E, algum dia, alguém pode se lembrar de você e dizer que você também está nessa companhia sagrada — um santo da escuridão.

Agradecimentos

Este livro existe graças ao apoio, incentivo e ideias que recebi de muitas pessoas a quem devo reconhecimento e gratidão.

Aos amigos que me escutaram falar sobre este livro de várias maneiras durante anos — vocês sabem quem são. Vocês têm sido incansáveis em seu apoio, sua disposição de escutar meu processamento verbal, seu interesse genuíno, seu *feedback* editorial e suas xícaras de chá. Vocês são minha primeira equipe de marketing *pro bono*, e não tenho como lhes agradecer o bastante por acreditar neste livro, orar por mim e me encorajar ao longo do caminho.

Aos poucos corajosos que leram as versões iniciais do original, especialmente Susan e Kelvin Anderson, Ethan Clever, Katelyn e Drew Dixon, e Mary Lou Jones por serem primeiros leitores entusiásticos e ponderados.

A Patrick Smith, pela valiosa percepção sobre o Dr. King, e a Josina Guess e Byron Borger por recomendações de livros.

Aos amigos e colegas no Seminário Teológico de Gordon-Conwell. À equipe da biblioteca Goddard, por cuidar alegremente de minhas pilhas de material de pesquisa. Ao pessoal da Tuesday Table por ser uma caixa de ressonância, um lugar para produzir, rir e descansar nos longos dias de pesquisa. Vocês me ajudaram a dar forma a meus pensamentos em diversos capítulos. E a Gwenfair Adams, por me apresentar à primeira dessas histórias.

Ao pessoal maravilhoso da IVP, especialmente ao preparador de originais, Ethan McCarthy, por tornar este livro melhor, a Lori Neff, por seu talento publicitário, e a David Fassett, por uma capa que me trouxe lágrimas aos olhos. E ao meu "editor campeão", Jeff Crosby, que acreditou neste projeto em sua forma inicial.

Aos meus pais, Barry e Mandy Stottlemyer, por serem meus fiéis leitores, revisores e líderes de torcida desde o início, e a meus sogros, Wayne e Stacy Gruver, por me darem de presente aquela conferência sobre a arte de escrever.

A Scott, por assumir o risco de um sonho improvável, pelo firme encorajamento e pelos sacrifícios e apoio que tornaram este livro possível. Amo você.

E aos amigos que andaram comigo nos dias sombrios — vocês foram a constante presença de Deus para mim. Posso escrever este livro por causa de sua leal amizade.

Apêndice

Quando alguém a quem você ama está na escuridão

Sem dúvida, sua recuperação seria
para mim uma das maiores bênçãos que
meu pensamento consegue conceber.
JOHN NEWTON, SOBRE O AMIGO
WILLIAM COWPER

Sei que alguns de vocês que estão lendo este livro não sofrem de depressão, mas talvez algum de seus entes amados sofra. Pode ser um membro da família, um amigo ou talvez um membro da igreja ou aluno sob seus cuidados.

É horrível ver alguém a quem você ama sofrer. Geralmente percebo pelos olhos. Eles parecem opacos, como se a centelha de vida neles se houvesse apagado. Ou nos músculos do rosto tentando lembrar como é sorrir. Olhando para aquele rosto, é fácil se sentir impotente para ajudar de alguma forma.

A depressão — e a doença mental em geral — parece especialmente assustadora para muitos de nós. Não sabemos por onde começar. Então eu gostaria de compartilhar alguns conselhos práticos sobre como ajudar aqueles a seu redor que estão deprimidos.

1. Saiba reconhecer a depressão.

É desafiador ajudar alguém com depressão se você não conhece os sinais de alerta. Familiarize-se com os sintomas.

Os sinais clássicos de depressão são tristeza e desesperança persistentes, e a perda de interesse em coisas ou atividades que outrora se considerava agradáveis. A pessoa a quem você ama pode chorar sem saber por quê. Pode se recusar a participar de algum entretenimento ou a ir ao cinema. Pode ver tudo sob uma perspectiva negativa — e não ter esperança de que a vida vá melhorar. A depressão também apresenta sinais físicos, como dores e doenças inexplicáveis, e sinais cognitivos, como dificuldade em se concentrar ou indecisão. Muitas vezes envolve perturbações do sono, como insônia ou dormir demais, e distúrbios alimentares, como comer demais ou falta de apetite. Outros sinais a observar são irritabilidade, fadiga, culpa ou sensação generalizada de falta de valor, e comportamento descuidado. Se a pessoa a quem você ama lutou contra a depressão no passado, observe como esses sintomas costumam se manifestar em sua vida para ficar de olho em episódios recorrentes.

2. Sugira ajuda profissional.

Algumas pessoas podem não reconhecer os sinais da depressão. Compartilhe com elas delicadamente o que você observou e sugira que busquem ajuda para se sentirem melhor. Lembre-as de que a depressão é uma doença e não algo de que se envergonhar. Incentive-as a falar com um profissional, como um conselheiro de saúde mental, o médico geral ou um serviço de assistência psicológica. É uma boa ideia ter uma lista de orientadores ou assistentes confiáveis em sua região para ajudar alguém a dar os primeiros passos — principalmente se você for pastor, assistente comunitário que trabalha com jovens, professor ou algum outro assistente social.

3. Seja um ouvinte compassivo.

Escute calma e compassivamente quando alguém deseja falar sobre como se sente. Faça boas perguntas discursivas que não demandem respostas fechadas, dando à pessoa espaço para compartilhar suas experiências. Evite responder imediatamente com conselhos, opiniões, julgamentos ou comentários desdenhosos. Em vez disso, concentre-se em fornecer um ambiente seguro para que o outro possa se abrir, e procure entender como ele se sente. Mantenha as linhas de comunicação abertas.

4. Forneça apoio prático.

A depressão interfere nas tarefas do dia a dia e pode fazer até as coisas mais simples parecerem insuportáveis. Se a pessoa mora com você, invente modos de ajudá-la a lidar com as tarefas diárias e estimule sua autonomia na medida de suas capacidades. Se ela não vive em sua casa, procure formas de oferecer apoio prático para reduzir esse fardo para a pessoa ou a família dela. Leve uma refeição. Ofereça-se para lavar as roupas. Dê uma carona até o consultório do médico. Cuide das crianças durante as sessões de aconselhamento.

O apoio prático também pode incluir convidá-la para fazer algo, como assistir a um filme, dar um passeio ou compartilhar um passatempo que a pessoa antes apreciava. Tudo bem se ela recusar — continue a fazer esses convites para ela se envolver em atividades simples e estimulantes.

5. Ore.

Ore a Deus pela cura, quer por meio da intervenção de médicos e da medicina, quer por meios sobrenaturais. Ore para que a pessoa estabeleça uma conexão com um conselheiro com quem possa desenvolver um relacionamento sólido. Ore pela proteção de Deus sobre ela. Ore pedindo sabedoria para encontrar as melhores formas de amá-la e apoiá-la, e ore também pedindo discernimento de saber quando ficar em silêncio e quando falar, quando impulsioná-la a dar o próximo passo em frente e quando escutar.

6. Incentive práticas espirituais adequadas a esse período.

A depressão pode provocar um desvio na prática de disciplina espiritual da pessoa. Ajude-a a encontrar e exercitar práticas espirituais que cultivem fé, esperança e uma consciência a respeito do evangelho nesse período. Você pode sugerir atividades como orar em comunidade ou escrever um diário. Lembre-a das verdades do evangelho — da obra incessante de Deus para redimir e recuperar, de sua graça ininterrupta, de nossa esperança de que ele renove todas as coisas. Aponte-lhe passagens e seções nas Escrituras que tratem da presença de Deus junto aos sofredores ou de como ele lidou com a dor das pessoas na Bíblia. Orar e meditar sobre os salmos de lamentação também é uma prática excelente e pode fornecer liberdade e uma linguagem para suas orações.

7. Celebre pequenas vitórias.

A cura da depressão pode vir aos solavancos. Fique atento para as formas como seus entes queridos estão tomando iniciativas para aprimorar a saúde ou obtendo melhorias.

Encoraje e celebre esses passos, por menores que sejam. Talvez eles tenham conseguido sair da cama hoje. Talvez tenham começado a tomar os remédios regularmente. Talvez tenham saído de casa. Talvez tenham colocado em prática uma técnica de enfrentamento sugerida pelo terapeuta. Ajude-os a ver essas pequenas vitórias pelo que elas são — e a alegrar-se.

8. Não tenha medo de perguntar sobre suicídio.

Suicídio é assunto sério. Muitos receiam perguntar sobre isso, então ficam fazendo rodeios, preocupados com a possibilidade de plantar essa ideia na cabeça de alguém. Não há comprovação de que perguntar diretamente sobre suicídio e pensamentos suicidas aumente o risco de uma pessoa cometê-lo. Na verdade, o oposto parece ser verdade. Não tenha medo de perguntar a alguém diretamente se está tendo pensamentos de automutilação ou suicídio. E não jure manter segredo sobre ideias ou planos suicidas — é importante obter ajuda para a pessoa em risco.

Saiba o que fazer se acredita que alguém corre o risco de suicídio. Você mesmo pode entrar em contato com o Centro de Valorização da Vida pelo telefone 188 (disponível 24 horas todos os dias), pessoalmente (em um dos 72 centros em todo o país), pelo *chat* (disponível no *website* <http://www.cvv.org.br>), ou por *e-mail* (apoioemocional@cvv.org.br). Ou então ajude a pessoa sob risco a fazer um telefonema. Se você acredita que alguém está correndo risco de dano iminente, não tenha receio em telefonar para o 188 ou levar a pessoa a um centro de atendimento.

9. Cuide de si mesmo.

Cuidar de alguém com depressão é uma maratona, não uma corrida de cem metros. Pode ser debilitante, frustrante e exaustivo, mesmo que você ame profundamente a pessoa e esteja decidido a ajudá-la. Esgotar-se ou ameaçar a própria saúde mental limitará imensamente sua capacidade de ser útil ao outro. Cuide-se bem e mantenha a saúde física, espiritual e mental. Se a pessoa que luta contra a depressão é especialmente próxima a você, seu cônjuge, filha ou filho, você talvez queira buscar aconselhamento para si mesmo a fim de lidar com o que está enfrentando.

Não seja um cavaleiro solitário — essa é a receita para o esgotamento. Cuidar de alguém com uma doença mental deve ser um esforço de equipe, não algo a se fazer sozinho. Certifique-se de que haja outros sistemas e indivíduos de apoio disponíveis para a pessoa de quem você cuida, de modo que você possa ter a liberdade de recuar um passo a fim de reorganizar-se ou recuperar o vigor.

10. Continue o acompanhamento.

Acompanhar alguém durante a depressão muitas vezes é um longo processo. Requer, portanto, paciência e perseverança. É fácil desistir ou recuar quando a cura se torna uma jornada e não uma correção instantânea. Mas continue aparecendo. Continue acompanhando para ver como a pessoa está indo. Continue convidando-a para atividades. Continue conversando com ela até a luz retornar. Seu apoio afetuoso constante é parte importante do processo de cura.

Breves biografias

Martinho Lutero (1483–1546)

Martinho Lutero, o reformador protestante alemão, nasceu em Eisleben em 10 de novembro de 1483. Em 1501, entrou na Universidade de Erfurt, visando uma carreira em Direito. Em 1505, abandonou os estudos e entrou em um mosteiro agostiniano, sendo depois ordenado padre em 1507. Foi enviado para estudar na Universidade de Wittenberg, onde completou o doutorado em Teologia em 1512 e tornou-se professor de Teologia na Universidade. Seus vastos estudos e meditações sobre as Escrituras — inclusive sobre Salmos, Romanos, Gálatas e Hebreus — em preparação para as aulas começaram lentamente a influenciar sua teologia. Passou a entender a salvação como algo que não se encontrava por meio de boas obras ou atos de penitência, mas somente pela graça de Deus mediante a fé em Jesus.

Em 1517, Lutero publicou as Noventa e Cinco Teses como uma objeção acadêmica à venda de indulgências. Durante os anos que se seguiram, a situação se complicou, pois Lutero foi chamado a diversos debates e audiências — e sua teologia continuou a se desenvolver. Ele recebeu a ordem de abjurar de suas visões, que, àquela altura, minavam claramente a autoridade do papa e questionavam a teologia aceita. Quando Lutero se recusou, foi excomungado da igreja, em 1521. As autoridades alemãs congregaram a Dieta de Worms, na qual ele foi declarado criminoso e condenado como herege. Com a ajuda de amigos, fugiu e escondeu-se no Castelo de Wartburg, onde traduziu o Novo Testamento para o alemão.

Lutero retornou a Wittenberg cerca de um ano depois, a fim de acalmar expressões radicais e violentas de seus ensinamentos. A florescente Reforma Protestante começou a adquirir conotações não apenas teológicas, mas também políticas. Em 1524, teve início a Guerra dos Camponeses, que Lutero condenou duramente.

Casou-se com uma ex-freira, Catarina de Bora, em 1525. Catarina foi uma parceira talentosa e adequada para Lutero. Eles tiveram seis filhos. Seu lar em Wittenberg, onde eles abrigavam hóspedes, era um centro de debates, como registrado no livro de Lutero *Conversas à mesa*.

Lutero continuou a lecionar na Universidade de Wittenberg, onde atuou como deão de Teologia de 1533 até a morte, e continuou a aconselhar a Reforma em crescimento. Discutiu o papel e a interpretação dos sacramentos, elaborou um catecismo, escreveu hinos, pregou e completou a tradução da Bíblia para o alemão. Em seus anos finais, também lançou duras acusações contra os anabatistas, o papa e os judeus.

A última década da vida de Lutero foi marcada por problemas de saúde, inclusive cardíacos e digestivos, pedras nos rins e artrite. Lutero morreu em 18 de fevereiro de 1546.

Leituras sugeridas

Bainton, Roland H. *Here I Stand: A Life of Martin Luther*. Nashville: Abingdon Press, 1950.

Luther, Martin. *Letters of Spiritual Counsel*. Editado e traduzido por Theodore G. Tappert. Philadelphia: Westminster Press, 1955.

Luther, Martin. *Table Talk*. Editado e traduzido por William Hazlitt. Londres: Fount, 1995.

Hannah Allen (1638–?)

Hannah Allen nasceu como Hannah Archer em Snelston, no condado de Derbyshire, Inglaterra, em 1638. O pai dela morreu quando ela era pequena. Por volta dos doze anos, foi enviada a Londres para se educar e viver com a tia. Ela registra a primeira experiência com a depressão durante os anos de adolescência.

Em 1655, casou-se com Hannibal Allen, um comerciante que fazia frequentes viagens marítimas, e eles tiveram um filho antes da morte prematura dele, por volta de 1663. A morte de Hannibal fez com que Hannah, que já apresentava tendência à melancolia, entrasse em uma depressão profunda, suicida, que duraria vários anos. Ela sofria de delírios religiosos e um desejo de se privar de alimentos. Hannah recebeu a visita do ministro John Shorthose na primavera de 1666, e a ajuda dele incentivou o início de sua recuperação gradual. Em 1668, plenamente recuperada, Hannah se casou com Charles Hatt.

Sua biografia espiritual, *[Satanás, seus métodos e malícia frustrados:] Uma narrativa da graça de Deus no cuidado da Sra. Hannah Allen...*, narrou sua conversão, depressão e recuperação. Foi publicada em 1683 por John Wallis, após a morte dela, cuja data é ignorada. Embora ela não seja a líder ou figura de proa de nenhum movimento, suas memórias servem como um retrato duradouro da vida de uma cristã comum na Inglaterra do século 17.

Leituras sugeridas

Lundy, Michael S., ed. *Depression, Anxiety, and the Christian Life: Practical Wisdom from Richard Baxter*. Wheaton, IL: Crossway, 2018.

David Brainerd (1718–1747)

David Brainerd, missionário entre os povos indígenas dos Estados Unidos, nasceu em Haddam, Connecticut, em 20 de abril de 1718. Tanto o pai quanto a mãe morreram quando ele era jovem. Em 1739, entrou em Yale, planejando tornar-se ministro. Foi expulso de Yale em 1742, em meio ao fervor do Grande Despertar, por causa de seus comentários a respeito de um tutor. Após a expulsão, viveu e estudou com Jedidiah Mills em Ripton, Connecticut, e acabou sendo nomeado missionário pela Sociedade Escocesa para a Propagação do Conhecimento Cristão.

Na primavera de 1743, Brainerd começou a estudar com John Sergeant em Stockbridge, Massachusetts, e então foi enviado ao seu primeiro posto em Kaunaumeek, perto da atual Albany, Nova York. Ele seria indicado para outros postos na região do rio Delaware (perto da atual Easton, Pensilvânia) em 1744 e em Crossweeksung, Nova Jersey, de 1745 a 1747. Fez também viagens missionárias à região de Susquehanna, acabando por incluir, mais tarde, irmãos e irmãs indígenas da nascente congregação em Nova Jersey como companheiros evangelistas.

Brainerd se sentia desencorajado pela falta de resultados visíveis em grande parte de seu ministério, mas durante seu tempo em Crossweeksung viu uma resposta que comparou a um avivamento. Permaneceu com a congregação recém-formada de 1745 a 1747 e participou de sua transferência para Cranberry, Nova Jersey. Após a morte de David, seu irmão John deu prosseguimento a seu ministério lá.

Combatendo a tuberculose que o atormentava desde os dias de Yale, Brainerd, extremamente doente, deixou sua congregação em 1747. Morou temporariamente com Jonathan Dickinson, um dos fundadores da Faculdade de Princeton (agora Universidade de Princeton). Considera-se que a expulsão de Brainerd de Yale contribuiu para sua fundação, e ele é chamado de primeiro aluno de Princeton por causa do tempo que passou na casa de Dickinson. Depois Brainerd foi morar com Jonathan Edwards e sua família em Northampton, Massachusetts. Brainerd morreu lá no dia 9 de outubro de 1747, aos 29 anos.

Durante seu tempo como missionário, Brainerd publicou dois diários, a pedido de sua sociedade missionária, com relatos sobre seu ministério. O primeiro deles foi publicado em 1746 e o segundo em 1748, após sua morte. Ele também mantinha diários pessoais, com detalhes sobre sua depressão, vida espiritual e pensamentos íntimos. Esses diários particulares foram editados, compilados e publicados por Jonathan Edwards em 1749. Os diários de Brainerd têm inspirado gerações de missionários e cristãos.

Leituras sugeridas

Brainerd, David. *The Life and Diary of David Brainerd.* Editado por Jonathan Edwards. Middletown, DE: ReadaClassic, 2010.

William Cowper (1731–1800)

O poeta e escritor de hinos inglês William Cowper (pronuncia-se como "Cooper") nasceu em 26 de novembro de 1731. Seu pai era reitor, e a mãe, que morreu logo antes de ele completar seis anos, era descendente do poeta John Donne. Ele escreveu sobre os efeitos persistentes da perda da mãe muito mais tarde, em um poema chamado "Ao receber o retrato de minha mãe". Na infância, frequentou um internato, onde sofria constantes e severas intimidações.

Quando estudante de Direito em Londres, Cowper sofreu os primeiros episódios graves de depressão. Recuperou-se do primeiro, que começou em 1752, e conseguiu completar os estudos. Apaixonou-se por sua prima, Theodora, e os dois ficaram noivos por um breve tempo antes de o pai dela intervir e romper o noivado. Nenhum dos dois jamais se casou.

Em 1763, sob a pressão desencadeada por um iminente exame público para a indicação para um cargo na Câmara dos Lordes, Cowper sofreu um grave colapso mental e tentou o suicídio diversas vezes. Passou os dezoito meses seguintes em um pequeno manicômio, St. Albans, aos cuidados do Dr. Cotton. Ali, acabou se recuperando e converteu-se ao cristianismo evangélico. Essas experiências foram registradas em suas memórias dos primeiros anos de vida.

Cowper se mudou para Huntingdon em 1765. Lá conheceu a família Unwin e tornou-se hóspede em sua casa. A mãe da família, Mary Unwin, continuou sendo uma grande amiga e companheira até a morte dela, décadas depois. Em 1767, Cowper e os Unwins se mudaram para Olney para ficar sob o ministério do reverendo John Newton. Newton recrutou

Cowper para ajudá-lo a escrever uma série de hinos, publicados como os *Hinos de Olney* em 1779.

Durante o inverno de 1773–1774, Cowper sofreu o terceiro colapso mental, que incluiu um sonho que, ele acreditava, declarava sua danação eterna. Nunca se recuperou plenamente.

Embora escrevesse poemas desde os tempos da faculdade de Direito, Cowper começou a escrevê-los a sério em 1779. Seu primeiro volume de poesia foi publicado em 1782, e o segundo, *A tarefa*, do qual herdamos a frase "a variedade é o tempero da vida", foi publicado em 1785. Publicou também muitos poemas avulsos durante a vida, inclusive "A divertida história de John Gilpin" e "O náufrago". Entre seus poemas, havia diversos contra a escravatura, e o mais famoso, "A queixa do negro", foi citado por Martin Luther King Jr. Cowper se tornou um dos poetas mais populares de seu tempo e, com suas vívidas descrições das regiões rurais inglesas, um precursor do Romantismo. Além da poesia, Cowper nos deixou uma extensa coleção de cartas, que nos dão grandes percepções sobre sua vida interior, sua depressão e seu processo criativo.

Em 1784, começou a traduzir a *Ilíada* e a *Odisseia* de Homero em versos brancos, um projeto ao qual dedicaria os cinco anos seguintes de sua vida. Mudou-se com Mary Unwin para Weston em 1786 e sofreu de uma doença mental intermitente. Em 1791, Mary passou por uma série de derrames e, como sua saúde física e mental continuasse a declinar, eles foram viver com os parentes de Cowper em Norfolk em 1795. Ela morreu no ano seguinte. Na época da morte dela, a depressão de Cowper retornou com toda intensidade e continuou até o fim de sua vida, inclusive com alucinações e delírios. Ele morreu em 25 de abril de 1800, na casa de seu primo.

Leituras sugeridas

Cowper, William. "Lines Written During a Fit of Insanity". <www.poetryfoundation.org/poemas/50600/hatred-and-vengeance-my-eternal-portion>.

Cowper, William. *Selected Poetry and Prose.* Editado por Lyle David Jeffrey. Vancouver, BC: Regent College Publishing, 2007.

Charles Spurgeon (1834–1892)

O "Príncipe dos Pregadores", Charles Haddon Spurgeon, nasceu em 19 de junho de 1834, em Essex, Inglaterra. A educação formal de Spurgeon foi limitada, mas ele foi um estudioso e ávido leitor a vida toda. Quando morreu, sua biblioteca pessoal continha mais de doze mil livros.

Aos quinze anos, em 1850, Spurgeon foi batizado e tornou-se batista (contrariando a tradição da família). No ano seguinte, aos dezesseis anos, pregou o primeiro sermão e assumiu o primeiro cargo como pastor. Em 1854, Spurgeon iniciou o ministério na capela de New Park Street, em Londres. Serviria nessa congregação até morrer. A igreja cresceu rapidamente e, em 1861, eles inauguraram o Tabernáculo Metropolitano, com lugares para quase cinco mil pessoas. Spurgeon era um pregador dinâmico, que obteve grande popularidade e fortes críticas. Durante sua vida, seus sermões eram impressos semanalmente e circulavam amplamente. Na época de sua morte, havia pregado quase 3.600 sermões.

Em 1856, Spurgeon se casou com Susannah e, mais tarde naquele mesmo ano, tiveram filhos gêmeos. Tanto Susannah quanto Charles desenvolveram problemas crônicos de saúde. Quando ele chegou aos trinta e poucos anos, ela estava quase sempre acamada e não podia assistir aos cultos do marido nem viajar. Em 1869, Spurgeon já estava sofrendo de gota, que lhe causava fortes dores e o levava a viajar frequentemente para o clima mais temperado de Menton, França, para convalescer.

Além de escrever numerosos sermões e cumprir deveres pastorais, Spurgeon fundou a Faculdade de Pastores, um orfanato e uma revista chamada *A espada e a espátula*. Escreveu um comentário sobre os Salmos, *O tesouro de Davi*, palestras para os estudantes do ministério, devocionários e inúmeras cartas.

Em 1887, Spurgeon se envolveu na "Controvérsia do Declínio" depois de ter acusado alguns líderes batistas de "rebaixar" a doutrina cristã renunciando ao que ele considerava princípios essenciais da fé em favor de uma teologia moderna, liberal. Ele separou sua congregação da União Batista e, em troca, acabou sendo censurado pela União em 1888.

A cidade de Londres entrou em luto por sua morte em 31 de janeiro de 1892, em Menton. Após a morte dele, Susannah compilou sua autobiografia a partir de cartas, esboços, artigos, sermões e outros escritos.

Leituras sugeridas

Eswine, Zack. *Spurgeon's Sorrows: Realistic Hope for Those Who Suffer from Depression*. Fearn, Escócia: Christian Focus, 2014.

Spurgeon, Charles. "The Minister's Fainting Fits". In *Lectures to My Students*, p. 171-183. Albany, OR: Ages Digital Library, 1996.

Madre Teresa (1910–1997)

Madre Teresa, a Santa de Calcutá, nasceu como Agnes Gonxha Bojaxhiu, em 26 de agosto de 1910, em Skopje (agora a capital da Macedônia do Norte). Seus pais eram de descendência albanesa. Aos doze anos, ela sentiu o chamado à vida religiosa e quis se tornar missionária. Em 1928, aos dezoito anos, saiu de casa para se juntar às Irmãs de Loreto na Irlanda. Após um breve treinamento em Dublin, foi enviada a Darjeeling, na Índia. Professou os primeiros votos religiosos em 1931 e assumiu o nome de Maria Teresa. Foi então para o Colégio de Santa Maria em Calcutá, onde ensinou durante quase vinte anos. Enquanto esteve lá, fez os votos finais como freira em 1937 e tornou-se conhecida como Madre Teresa, como era o costume entre as Irmãs de Loreto. Em 1944, Madre Teresa se tornou a diretora da escola.

Durante o tempo no Colégio de Santa Maria, Madre Teresa tomou consciência profunda da pobreza e do sofrimento que a cercavam em Calcutá. No dia 10 de setembro de 1946, recebeu aquilo a que se referiu depois como "um chamado dentro de um chamado" para ir aos bairros pobres de Calcutá e trabalhar com os mais pobres entre os pobres. Finalmente recebeu permissão dos superiores para obedecer a esse chamado em 1948, deixando o convento de Loreto e passando a trajar as roupas com que se tornou conhecida: um simples sari branco debruado de azul. Após seis meses de treinamento médico básico, Madre Teresa foi aos locais mais pobres de Calcutá. Com o passar do tempo, foi acompanhada por outras voluntárias, muitas delas alunas ou antigas freiras do Colégio de Santa Maria. Em 1950, Madre Teresa recebeu permissão oficial do Vaticano para formar uma nova congregação religiosa, as Missionárias da Caridade (M. C.). Na época, a congregação era formada por doze membros. Madre Teresa permaneceu como superiora das Missionárias da Caridade até pouco tempo antes de morrer.

Ao longo das várias décadas seguintes, o trabalho das Missionárias da Caridade se expandiu rapidamente. Madre Teresa e suas colegas da M. C. fundaram casas de repouso para os moribundos, casas para leprosos e orfanatos por toda a Índia. Depois que as Missionárias da Caridade foram declaradas uma Família Religiosa Internacional, em 1965, elas se disseminaram por outros países, sempre cuidando dos pobres, indesejados e abandonados. Com o tempo, a ordem se expandiu para incluir os Irmãos Missionários da Caridade (1963); ramos contemplativos tanto das Irmãs quanto dos Irmãos (1976 e 1979, respectivamente), e os Padres Missionários da Caridade, um ramo sacerdotal (1984). O grupo de Colaboradores Doentes e Sofredores das Missionárias da Caridade foi fundado por leigos católicos e não católicos para apoiar o trabalho das M. C.s pelo mundo. Na época da morte de Madre Teresa, havia aproximadamente quatro mil irmãs M. C. e trezentos irmãos M. C. trabalhando em 610 missões em 123 países.

Durante sua vida de ministério, Madre Teresa fez várias viagens humanitárias pelo mundo, viajou para dar palestras e recebeu muitos prêmios, inclusive o Prêmio Nobel da Paz, em 1979.

Depois de sofrer um declínio na saúde e problemas de coração por vários anos, Madre Teresa faleceu em Calcutá em 5 de setembro de 1997, aos 87 anos. Foi canonizada como santa da Igreja Católica Romana em 2016.

Leituras sugeridas

Murray, Paul. *I Loved Jesus in the Night: Teresa of Calcutta—A Secret Revealed*. Brewster, MA: Paraclete, 2008.

Teresa, Madre. *Venha, seja a minha luz: Os escritos privados da santa de Calcutá*. Rio de Janeiro: Petra Editorial, 2016.

Martin Luther King Jr. (1929–1968)

O líder norte-americano do movimento dos direitos civis, Martin Luther King Jr., nasceu em Atlanta, Georgia, no dia 15 de janeiro de 1929. Recebeu o nome de Michael ao nascer, mas, quando era menino, o pai mudou o próprio nome e o do filho para Martin Luther, em homenagem ao reformador protestante. O pai de King Jr. era pastor da Igreja Batista de Ebenézer, em Atlanta, um posto que havia recebido do sogro. King cresceu em uma família estável e afetuosa, e ficou especialmente abalado com a morte da avó, em 1941, quando ele tinha doze anos. A morte da avó o levou a tentar o suicídio pulando da janela do segundo andar da casa dos pais.

King ingressou na Faculdade Morehouse aos quinze anos, em 1944. Lá, decidiu entrar no ministério. Foi estudar no Seminário Teológico Crozer, onde obteve um bacharelado em Teologia em 1951. Frequentou então a Universidade de Boston e completou o doutorado em 1955, aos 26 anos. Em meio aos estudos para o doutorado, King conheceu a esposa, Coretta Scott, que estava estudando no Conservatório de Música da Nova Inglaterra. Casaram-se em 1953 e tiveram quatro filhos.

Enquanto ainda trabalhava em sua dissertação, King se tornou pastor da Igreja Batista da Avenida Dexter, em Montgomery, Alabama. Em dezembro de 1955, King ajudou a conduzir o boicote aos ônibus de Montgomery, como o recém-eleito presidente da Associação para o Progresso de Montgomery. Durante o boicote, que continuou por mais de um ano, a casa de King foi bombardeada. Depois que a Suprema Corte decidiu contra as leis de segregação racial nos ônibus de Montgomery, King emergiu como um admirável líder do movimento dos direitos civis.

Em 1957, King participou da fundação da Conferência da Liderança Cristã do Sul [SCLC, na sigla em inglês], uma organização que coordenava e liderava a luta pelos direitos civis por meio de táticas não violentas de resistência e desobediência civil. Ele foi presidente da SCLC até morrer. Sob sua liderança, a SCLC empenhou-se em campanhas em todos os Estados Unidos, inclusive em Albany, Birmingham, Selma e Chicago. King viajava frequentemente para participar de manifestações em defesa dos direitos civis, fazer discursos e dar apoio ao movimento. Foi preso e atacado diversas vezes. Em meio a tudo isso, encontrou tempo para escrever cinco livros. Durante o lançamento do primeiro livro, em 1958, King foi esfaqueado por uma mulher negra, que foi depois considerada incapaz de responder judicialmente por motivo de insanidade.

Em 1960, King e a família se mudaram para Atlanta, Georgia, onde ele se tornou copastor com o pai na Igreja Batista de Ebenézer, um papel que conservou até a morte.

Em 1963, King liderou os protestos em Birmingham, Alabama, onde escreveu a célebre "Carta de uma prisão em Birmingham". Mais tarde naquele ano, ele e outros líderes dos direitos civis organizaram a Marcha sobre Washington, onde pronunciou o discurso "Eu tenho um sonho". Em 1964, foi eleito o Homem do Ano pela revista *Time* e recebeu o Prêmio Nobel da Paz.

King recebeu críticas pelo discurso na Igreja de Riverside em 1967, em que ele se opõe claramente à Guerra do Vietnã. No mesmo ano, envolveu-se intensamente com o planejamento da Campanha dos Pobres, que defendia os direitos dos pobres de todas as raças nos Estados Unidos. Quando estava em Memphis, Tennessee, para apoiar uma greve de lixeiros, King foi assassinado, no dia 4 de abril de 1968.

Leituras sugeridas

King, Martin Luther, Jr. *I Have a Dream: Writings & Speeches That Changed the World*. Editado por James M. Washington. Nova York: Harper One, 1986.

Kunhardt, Peter, dir. *King in the Wilderness*. Pleasantville, NY: Kunhardt Films, 2018.

Oates, Stephen B. *Let the Trumpet Sound: A Life of Martin Luther King, Jr*. Nova York: Harper Perennial, 1982.

Notas

Introdução

[1] American Psychiatric Association, *Diagnostic and Statistical Manual of Mental Disorders: DSM-5* (Arlington, VA: American Psychiatric Association, 2013). [No Brasil, *Manual diagnóstico e estatístico de transtornos mentais: DSM-5*. Porto Alegre: Artmed, 2014.]

[2] Na redação desse trecho, agradeço a Stanley W. Jackson, *Melancholia and Depression: From Hippocratic Times to Modern Times* (New Haven, CT: Yale University Press, 1986), p. 30-45.

[3] Jackson, *Melancholia and Depression*, p. 31-33; e Andrew Solomon, *The Noonday Demon: An Atlas of Depression* (Nova York: Scribner, 2001), p. 288-289 [no Brasil, *O demônio do meio-dia: Uma anatomia da depressão*. São Paulo: Companhia das Letras, 2014].

[4] Solomon, *Noonday Demon*, p. 295-296, 299-301.

[5] Solomon, *Noonday Demon*, p. 293.

[6] Solomon, *Noonday Demon*, p. 292.

[7] Jackson, *Melancholia and Depression*, p. 66-67. Um motivo pelo qual a acídia não era considerada sinônima da melancolia nesse período era que a definição cultural de melancolia costumava incluir então delírios ou alucinações de algum tipo.

[8] Solomon, *Noonday Demon*, p. 293.

[9] Solomon, *Noonday Demon*, p. 311.

[10] Solomon, *Noonday Demon*, p. 308-309.

1. Martinho Lutero

[1] Lutero a Filipe Melâncton, Castelo de Wartburg, 26 de maio de 1521, in *Luther's Correspondence and Other Contemporary Letters*, vol. 2, ed. e trad. por Preserved Smith e Charles M. Jacobs (Philadelphia: Lutheran Publication Society, 1913), p. 35.

[2] Martin Luther, *Table Talk*, ed. e trad. por William Hazlitt (Londres: Fount, 1995), p. 298-300, nos. 632, 633.

[3] Lutero a Nicolaus von Amsdorf, Castelo de Wartburg, 12 de maio de 1521, in Smith e Jacobs, *Luther's Correspondence*, vol. 2, p. 24.

[4] Lutero a Filipe Melâncton, Castelo de Wartburg, 12 de maio de 1521, in Smith e Jacobs, *Luther's Correspondence*, vol. 2, p. 23.

[5] Lutero a Georg Spalatin, Castelo de Wartburg, 19 de setembro de 1521, in Smith e Jacobs, *Luther's Correspondence*, vol. 2, p. 57.
[6] Lutero a Filipe Melâncton, Castelo de Wartburg, 26 de maio de 1521, in Smith e Jacobs, *Luther's Correspondence*, vol. 2, p. 35.
[7] Citado em Roland H. Bainton, *Here I Stand: A Life of Martin Luther* (Nashville: Abingdon Press, 1950), p. 30.
[8] Citado em James M. Kittelson, *Luther the Reformer: The Story of the Man and His Career* (Minneapolis: Fortress Press, 1986), p. 79.
[9] Citado em Eric W. Gritsch, *Martin—God's Court Jester: Luther in Retrospect* (Philadelphia: Fortress Press, 1983), p. 11.
[10] A declaração de Lutero de que lutou contra o diabo com tinta no Castelo de Wartburg se tornou fonte de lendas. Alguns acreditam que ele atirou literamente o tinteiro contra o diabo, respingando tinta na parede. Outros interpretam suas palavras como referência à tinta da caneta com que escrevia.
[11] Um biógrafo, Richard Marius, alega que a produtividade de Lutero era um sinal de seu estado mental perturbado, descrevendo-o como "um homem levado a esforços sobre-humanos pelos demônios da aflição que atuavam em seu íntimo". Richard Marius, *Martin Luther: The Christian Between God and Death* (Cambridge, MA: Belknap Press, 1999), p. 276. Outra teoria é que Lutero sofria do que agora chamamos de transtorno bipolar e manifestava mania disfórica, com episódios maníacos e depressivos ao mesmo tempo. Considero esse argumento convincente, mas não temos provas suficientes e estamos distantes demais para saber ao certo.
[12] Em certo texto, Lutero diz: "Toda opressão da mente e melancolia vêm do diabo [...]. Quem quer que você seja, se está possuído por tais pensamentos opressivos, saiba que, sem dúvida, eles são obra do diabo". Luther, *Table Talk*, p. 300, no. 634. Ver também Luther, *Table Talk*, p. 288, no. 604.
[13] Luther, *Table Talk*, p. 282, no. 589.
[14] Alguns historiadores relacionaram o padrão da depressão de Lutero com suas enfermidades físicas. Ver Gritsch, *Martin—God's Court Jester*, p. 147.
[15] Luther, *Table Talk*, p. 303-304, no. 645.
[16] Smith e Jacobs, *Luther's Correspondence*, vol. 2, p. 404-407.
[17] Smith e Jacobs, *Luther's Correspondence*, vol. 2, p. 407.
[18] Lutero a Filipe Melâncton, 2 de agosto de 1527, in Smith e Jacobs, *Luther's Correspondence*, vol. 2, p. 409.
[19] Lutero a João Agrícola, 21 de agosto de 1527, in Smith e Jacobs, *Luther's Correspondence*, vol. 2, p. 412.

[20] Lutero a Nicholas Hausmann, 7 de novembro de 1527, in Smith e Jacobs, *Luther's Correspondence*, vol. 2, p. 420.

[21] Lutero a Filipe Melâncton , 27 de outubro de 1527, in Smith e Jacobs, *Luther's Correspondence*, vol. 2, p. 419.

[22] Luther, *Table Talk*, p. 29, 31, 291, et al.

[23] Não sabemos a data precisa em que Lutero escreveu esse hino, mas ele foi publicado pela primeira vez em 1529. Não é descabido acreditar que o tenha escrito durante esse período sombrio de sua vida.

[24] Conforme versão do Livro de Canto da IECLB (São Leopoldo, RS: Sinodal, 2017), nº 481/482.

[25] Ver Kristen E. Kvam, "Consolation for Women Whose Pregnancies Have Not Gone Well, 1542", in *The Annotated Luther*, vol. 4, ed. Mary Jane Haemig, p. 421. Esse texto era originalmente um breve epílogo a um livro escrito por um dos amigos de Lutero. Quando o escreveu, a esposa de Lutero já havia sofrido pelo menos um aborto involuntário, e eles haviam perdido uma filha de oito meses, Elizabete, em 1528. É evidente que a dor sofrida por pais é uma preocupação para Lutero.

[26] Martin Luther, *Letters of Spiritual Counsel*, ed. e trad. por Theodore G. Tappert (Philadelphia: Westminster Press, 1955), p. 51.

[27] Luther, *Letters of Spiritual Counsel*, p. 51.

[28] Citado em Gritsch, *Martin—Gods's Court Jester*, p. 83.

[29] Citado em Gritsch, *Martin—God's Court Jester*, p. 83.

[30] Citado em Gritsch, *Martin—God's Court Jester*, p. 87.

[31] Lutero a Jerônimo Weller, julho de 1530, in *Letters of Spiritual Counsel*, p. 85-87.

[32] Luther, *Letters of Spiritual Counsel*, p. 95.

[33] Lutero à sra. Jonas von Stockhausen, 27 de novembro de 1532, in *Letters of Spiritual Counsel*, p. 91. No mesmo dia em que Lutero escreveu essa carta, também enviou uma ao amigo Jonas ("o marido" nessa carta) dando-lhe conselhos sobre a depressão, oferecendo conselhos em separado para o amigo deprimido e a esposa preocupada com ele.

[34] Luther, *Table Talk*, p. 306, no. 654.

[35] Lutero a Jonas Von Stockhausen, 27 de novembro de 1532, in *Letters of Spiritual Counsel*, p. 89.

[36] Lutero a Matias Weller, 7 de outubro de 1534, in *Letters of Spiritual Counsel*, p. 96.

[37] Citado em Rudolf K. Markwald e Marilynn Morris Markwald, *Katharina Von Bora: A Reformation Life* (Saint Louis: Concordia, 2002), p. 139-140.

[38] Lutero ao príncipe Joaquim de Anhalt, 23 de maio de 1534, em resposta a relatos de que estava doente e deprimido, in *Letters of Spiritual Counsel*, p. 93.

2. Hannah Allen

[1] Hannah Allen, *[Satan, his Methods and Malice baffled:] A Narrative of God's gracious dealings with that Christian Mrs. Hannah Allen...* (Londres: John Wallis, 1683), p. 8, 10.
[2] *Allen, Narrative of God's Gracious Dealings, p. 17.*
[3] Allen, *Narrative of God's Gracious Dealings*, p. 18.
[4] Allen, *Narrative of God's Gracious Dealings*, p. 20.
[5] A expressão "melancolia religiosa" foi cunhada por Robert Burton em sua monumental *A anatomia da melancolia*, publicada pela primeira vez em 1621. Para uma visão geral da história da melancolia religiosa e muitos outros exemplos de pessoas que sofreram com ela, ver Julius H. Rubin, *Religious Melancholy and the Protestant Experience in America* (Nova York: Oxford University Press, 1994).
[6] Allen, *Narrative of God's Gracious Dealings*, p. 21.
[7] Allen, *Narrative of God's Gracious Dealings*, p. 40.
[8] Allen, *Narrative of God's Gracious Dealings*, p. 42-43.
[9] Allen, *Narrative of God's Gracious Dealings*, p. 48.
[10] Allen, *Narrative of God's Gracious Dealings*, p. 55, itálicos no original.
[11] Em inglês, "The Cure of Melancholy and Overmuch Sorrow". Esse sermão pode ser lido gratuitamente na internet. Eu o encorajaria a lê-lo, pois ainda fornece percepções úteis e sugestões práticas para aqueles que lutam contra a depressão hoje em dia.
[12] Allen, *Narrative of God's Gracious Dealings*, p. 26.
[13] Allen, *Narrative of God's Gracious Dealings*, p. 28.
[14] Richard Baxter, *Preservatives Against Melancholy and Overmuch Sorrow. Or the Cure of both by Faith and Physick* (Londres: W.R., 1713), p. 16.
[15] Allen, *Narrative of God's Gracious Dealings*, p. 33-34.
[16] Allen, *Narrative of God's Gracious Dealings*, p. 46.
[17] Autoinanição ou "anorexia religiosa" é outro traço da melancolia religiosa que é mencionado por Baxter, no século 17, e Rubin como historiador moderno. Li sobre Hannah Allen pela primeira vez em um livro a respeito da história da psiquiatria relacionada a distúrbios alimentares.
[18] Allen, *Narrative of God's Gracious Dealings*, p. 58.
[19] Allen, *Narrative of God's Gracious Dealings*, p. 64-65. Isso foi no inverno de 1665–1666. Hannah diz que, na primavera, começou a comer um pouco melhor, apesar de não dizer por quê.

[20] Allen, *Narrative of God's Gracious Dealings*, p. 62.
[21] Allen, *Narrative of God's Gracious Dealings*, p. 60.
[22] Allen, *Narrative of God's Gracious Dealings*, p. 68-69.
[23] Allen, *Narrative of God's Gracious Dealings*, p. 72.
[24] Allen, *Narrative of God's Gracious Dealings*, p. i.

3. David Brainerd

[1] *The Life and Diary of David Brainerd*, ed. Jonathan Edwards (Middletown, DE: ReadaClassic, 2010), p. 65.
[2] *Life and Diary of David Brainerd*, p. 6. Infelizmente, Edwards removeu extensos trechos do diário de Brainerd — inclusive muitos em que Brainerd fala sobre sua depressão — e inseriu seus próprios resumos das passagens que omitiu. Os diários originais foram destruídos por um descendente; em decorrência disso, jamais conheceremos as palavras originais de Brainerd nessas passagens. Então leve em conta que o que restou não pôde ser oculto, mesmo após as tesouradas editoriais de Edwards.
[3] *Life and Diary of David Brainerd*, p. 67.
[4] *Life and Diary of David Brainerd*, p. 30.
[5] Brainerd foi apenas um de muitos que foram multados, expulsos ou ameaçados de ter seu diploma cassado durante esse período tumultuado da gestão de Clap.
[6] Jamais conheceremos toda a extensão dos pensamentos de Brainerd nesse tempo e sobre esse período de sua vida, tanto porque ele destruiu os diários de faculdade quanto por causa da censura de Edwards, que não quis lançar culpa excessiva sobre as autoridades de Yale.

Um dos descendentes de Brainerd, Thomas Brainerd, teve acesso a um diário agora perdido, que incluía o relato de David de sua expulsão. Ele pinta um quadro bastante negativo dos efeitos da expulsão sobre o estado mental e emocional de David — com muito mais indignação do que encontramos na versão de Edwards. Thomas cita Brainerd ao comparar as autoridades da faculdade ao "Santo Tribunal da Inquisição", torturando estudantes como ele ao mesmo tempo que insistiam em que era para o seu benefício espiritual. Chega a dizer que "não há dúvida de que a vida de David Brainerd foi abreviada pela perseguição da faculdade". Citado in Jonathan Edwards, *The Works of Jonathan Edwards*, vol. 7, ed. Perry Miller; *The Life of David Brainerd*, ed. Norman Pettit (New Haven, CT: Yale University Press, 1985), p. 44-45.
[7] Depois que Brainerd redigiu um extenso pedido de desculpas ao conselho da faculdade, e por influência dos amigos de Brainerd, Clap acabou

permitindo que ele recebesse o diploma, mas apenas sob a condição de que ele completasse mais um ano de estudos em Yale. Brainerd não quis voltar à faculdade; queria apenas o diploma, e achou que os outros estudos e a experiência no ministério que ele obtivera desde a expulsão seriam suficientes para compensar pelos anos que perdera. Ele insistiu em que lhe permitissem formar-se com sua classe original. Quando Clap se recusou a atender a esse desejo, foi Brainerd, e não Clap, quem acabou rejeitando o arranjo.

[8] Brainerd a John Brainerd, 30 de abril de 1743, in *The Diary and Journal of David Brainerd* (Londres: Andrew Melrose, 1902), vol. 2, p. 270-271, itálicos no original.

[9] Brainerd exibiu sinais de tuberculose pela primera vez ainda como estudante em Yale, quando começou a cuspir sangue no verão de 1740. Isso aconteceu três anos antes do início de seu ministério em Kaunaumeek, em abril de 1743, e sete anos antes de sua morte, em outubro de 1747. Lutou contra a tuberculose e seus efeitos degradantes sobre a saúde durante toda a carreira de missionário e pregador.

[10] *Life and Diary of David Brainerd*, p. 72.

[11] *Diary and Journal of David Brainerd*, vol. 2, p. 273.

[12] *Life and Diary of David Brainerd*, p. 90.

[13] *Life and Diary of David Brainerd*, p. 171-173. Para mais explicações sobre as reações e atitudes dos colonos, ver John A. Grigg, *The Lives of David Brainerd: The Making of an American Evangelical Icon* (Nova York: Oxford University Press, 2009), p. 103-107.

[14] *Life and Diary of David Brainerd*, p. 111.

[15] *Life and Diary of David Brainerd*, p. 111.

[16] *Life and Diary of David Brainerd*, p. 112.

[17] *Life and Diary of David Brainerd*, p. 112.

[18] *Life and Diary of David Brainerd*, p. 48.

[19] Edwards, *Works*, vol. 7, p. 35.

[20] Citado em Grigg, *Lives of David Brainerd*, p. 33. Esse conselho lhe foi dado por Phineas Fiske, com quem ele morara quando se preparava para a faculdade em Yale.

[21] *Life and Diary of David Brainerd*, p. 85.

[22] *Life and Diary of David Brainerd*, p. 112.

[23] *Life and Diary of David Brainerd*, p. 113.

[24] *Life and Diary of David Brainerd*, p. 60.

[25] *Life and Diary of David Brainerd*, p. 37.

[26] *Life and Diary of David Brainerd*, p. 126.

[27] *Life and Diary of David Brainerd*, p. 133.
[28] *Life and Diary of David Brainerd*, p. 136.
[29] *Life and Diary of David Brainerd*, p. 117.
[30] *Life and Diary of David Brainerd*, p. 144.
[31] *Life and Diary of David Brainerd*, p. 114-115. Em seu diário, ele escreveu: "Nessa época fui atingido pela sensação da importante confiança que fora depositada em mim; apesar disso, estava controlado, sério, sem distrações; esperei então, como muitas vezes antes, entregar-me a Deus, para estar a serviço dele, e não de outro. Ah, que eu sempre esteja a serviço de Deus, e me lembre devidamente do encargo solene que recebi, na presença de Deus, dos anjos e das pessoas. Amém. Que eu tenha a ajuda de Deus para esse propósito".
[32] *Diary and Journal of David Brainerd*, vol. 2, p. 8, 214. Sabemos um pouco da história de Tatamy com base em fontes externas. Antes de trabalhar com Brainerd, ele havia sido empregado como tradutor no governo de William Penn. Brainerd, em seu diário público, registra seu nome como Moses Tinda Tautamy, 50 anos. Conta que o contratou em julho de 1744.
[33] *Diary and Journal of David Brainerd*, vol. 2, p. 8-9, 214. Ele dizia a Brainerd constantemente: "Não adianta nada tentarmos, eles nunca vão mudar".
[34] "Ele agora se dirigia aos indígenas com fervor admirável, e raramente percebia quando parar. Às vezes quando eu havia concluído meu discurso e estava voltando para casa, ele ficava para trás para repetir e inculcar o que havia sido falado. [...] Recentemente ele também demonstrava mais satisfação em relação a seu próprio estado, além de mais animado e prestativo em seu trabalho, e tem sido de grande consolo para mim". *Diary and Journal of David Brainerd*, vol. 2, p. 14.
[35] Quando Brainerd chegou, pregava para as mulheres que encontrou, sem saber que aquela cultura, segundo o historiador John Grigg, dava às mulheres Lenni Lenape um papel em transmitir e preservar as práticas e experiências espirituais em suas famílias. Ele não tinha a menor ideia do peso que as palavras daquelas mulheres teriam quando elas viajaram mais de vinte quilômetros para dizer aos parentes que fossem e escutassem a mensagem daquele religioso branco. Brainerd simplesmente viu sua plateia aumentar. Ver Grigg, *Lives of David Brainerd*, p. 89-90.
[36] *Diary and Journal of David Brainerd*, vol. 2, p. 19. Ele escreve: "Era surpreendente ver como o coração deles parecia penetrado pelos convites ternos e sensíveis do evangelho, mesmo sem que se lhes houvesse dito nenhuma palavra aterrorizante".

[37] *Diary and Journal of David Brainerd*, vol. 2, p. 28-29. Brainerd molda essa descrição da reação de sua comunidade indígena em Crossweeksung de acordo com a esperada experiência típica de conversão da época e retrata uma cena similar à que Jonathan Edwards descrevera em *A Faithful Narrative* [Uma narrativa fiel] sobre sua congregação em Northampton. Os indivíduos caem diante da condenação do pecado, perturbados e preocupados com o estado de sua alma, então passam dessa aflição a uma sensação de consolação na pura graça de Deus. É importante não perder esse momento. Ele está dizendo que a poderosa obra de Deus e a livre dádiva de sua graça são significativas tanto na comunidade branca de Edwards quanto para o precioso povo de Brainerd em Nova Jersey. Na verdade, quando alguns colonos brancos aparecem para assistir aos serviços de Brainerd, ele os chama de "espectadores desatentos" e "brancos pagãos", enquanto é a sua congregação de indígenas que é mais receptiva à Palavra de Deus e mais transformada por ela.

[38] *Diary and Journal of David Brainerd*, vol. 2, p. 22.

[39] *Diary and Journal of David Brainerd*, vol. 2, p. 62-63.

[40] A lenda do romance de David Brainerd e Jerusha Edwards surgiu no século 19, muito tempo depois da morte dos dois. Não temos provas concretas de um noivado ou amor entre eles. Sabemos que Jerusha cuidou dele e o acompanhou em sua viagem final a Boston. Sabemos também que foram enterrados juntos, mas, tendo sido no jazigo da família Edwards, não há nada de especialmente notável nisso. A lenda parece ter surgido de uma citação que temos do leito de morte de Brainerd: "Ele olhou para ela [Jerusha] muito aprazivelmente e falou: 'Querida Jerusha, está disposta a me deixar ir? Eu estou disposto a deixá-la ir. Estou disposto a deixar todos os meus amigos. Estou disposto a deixar meu querido irmão John, apesar de ele ser a criatura viva a quem mais amo. Entreguei-o e a todos meus amigos a Deus e posso deixá-los com Deus. Se bem que, se eu pensasse que não a veria de novo e não poderia ser feliz com você no outro mundo, não suportaria me separar de você. Mas passaremos uma eternidade feliz juntos!'" *Life and Diary of David Brainerd*, p. 244.

[41] *Life and Diary of David Brainerd*, p. 236.

[42] *Life and Diary of David Brainerd*, p. 245-246.

[43] *Life and Diary of David Brainerd*, p. 139.

[44] *Life and Diary of David Brainerd*, p. 139.

[45] Citado em David Wynbeek, *David Brainerd: Beloved Yankee* (Grand Rapids, MI: Eerdmans, 1961), p. 236.

[46] Ainda que tenha sido esse o caso, não podemos subestimar o impacto que Brainerd exerceu sobre aqueles que passaram a crer. Há relatos do século 19 de cristãos indígenas que remontam sua herança espiritual a Brainerd, e ainda hoje há uma presença cristã na comunidade Lenni Lenape.

[47] Edwards editou e publicou *The Life and Diary of David Brainerd* durante uma controvérsia com sua igreja, quando desejou instituir regras mais rígidas para quem poderia ser considerado um membro da igreja e quem teria autorização para compartilhar da Comunhão. Lançou o diário de Brainerd em uma época especial e com um objetivo particular, e muitos (inclusive, ao que parece, sua congregação na época, considerando que ele foi demitido logo após a publicação do livro) acreditam que o livro seja uma mensagem de Edwards defendendo David Brainerd como o retrato ideal da espiritualidade cristã. Aparentemente Edwards queria que todos os cristãos em sua paróquia vivessem segundo os padrões de Brainerd para serem considerados plenamente convertidos. Assim, consciente ou subconscientemente, as palavras de Brainerd que Edwards decidiu cortar ou refrasear, enfatizar ou deixar intocadas, serviam para apresentar um quadro particular da espiritualidade cristã.

[48] Ver Grigg, *Lives of Brainerd*, p. 147-154. Como Edwards, Wesley tomou grandes liberdades editoriais para moldar Brainerd como um líder apropriado ao seu movimento.

[49] Citado em Grigg, *Lives of David Brainerd*, p. 178.

[50] Edwards, *Works*, vol. 7, p. 509.

4. William Cowper

[1] *Memoir of the Early Life of William Cowper, Esq.* (Philadelphia: Edward Earle, 1816), p. 27-28.

[2] Cowper escreveu o pungente poema "On the Receipt of My Mother's Picture" [Ao receber o retrato de minha mãe] após receber de um parente uma cópia do retrato dela. As palavras poéticas de sua dor infantil e as lembranças estimadas de sua amorosa presença surgem vividamente à página mais de cinquenta anos após a morte da mãe.

Sabemos também do impacto duradouro de sua perda a partir de uma nota de condolências que Cowper escreveu a um amigo que perdera a mãe recentemente. Ele escreveu: "Enquanto viver, vou lamentar ter perdido esse consolo tão cedo. Posso verdadeiramente dizer que nem uma semana se passa (talvez eu pudesse dizer com igual veracidade nem um dia) sem que eu pense nela. Tal foi a impressão que sua ternura deixou em mim, embora ela tenha tido tão poucas oportunidades de demonstrá-la". William Cowper a Joseph Hill, novembro de 1784, in *The Works of Cowper and Thomson* (Philadelphia: J. Grigg, 1831), p. 268.

[3] *Memoir of the Early Life*, p. 32.

[4] *Memoir of the Early Life*, p. 34.

[5] Em sua poesia, Cowper se referia a Theodora como "Delia".

[6] Um deslize de Lady Hesketh (que era a irmã de Theodora, Harriet) informou Cowper de que ela conhecia a identidade do anônimo. Embora ele nunca tenha descoberto o benfeitor secreto, sabia que Lady Hesketh estava em contato com ele ou ela, e nomeou-a "receptora geral dos agradecimentos" substituta.

[7] [*Doom'd as I am in solitude to waste / The present moments, and regret the past; / Depriv'd of ev'ry joy I valued most, / My friend torn from me, and my mistress lost; / Call not this gloom I wear, this anxious mien, / The dull effect of humour, or of spleen!*]
Charles Ryskamp, *William Cowper of the Inner Temple, Esq.: A Study of His Life and Works to the Year 1768* (Cambridge, UK: Cambridge University Press, 1959), p. 106. Escrito em 1757, após a morte de William Russell.

[8] De um poema escrito para o amigo Robert Lloyd, da faculdade de Direito, na época de graduação. Este é um dos primeiros poemas de Cowper, de 1754:

> Como um trem sombrio e infernal,
> Avança cruel em meu terreno mental,
> E dia após dia dali ameaça expelir
> A pequena guarnição do sentir;
> Tais bandidos ferozes são, sim,
> Pensamentos sinistros, guiados pelo *spleen*.

[*That, with a black, infernal train, / Make cruel inroads on my brain, / And daily threaten to drive thence / My little garrison of sense; / The fierce banditti which I mean / Are gloomy thoughts, led on by spleen.*]
Citado em Thomas Wright, *The Life of William Cowper* (Londres: T. Fisher Unwin, 1892), p. 67.

[9] Essa não foi a primeira vez em que Cowper se viu em dificuldades financeiras. Ele administrava notoriamente mal o dinheiro e ao longo de toda a vida veio a depender da generosidade financeira de amigos.

[10] *Memoir of the Early Life*, p. 44.

[11] *Memoir of the Early Life*, p. 45.

[12] Ver *Memoir of the Early Life*, p. 46.
[13] *Memoir of the Early Life*, p. 52-53.
[14] [Em inglês, "Lines Written During a Period de Insanity":
Hatred and vengeance, my eternal portion, / Scarce can endure delay of execution, / Wait, with impatient readiness, to seize my / Soul in a moment.

Damn'd below Judas: more abhorr'd than he was, / Who for a few pence sold his holy Master. / Twice betrayed Jesus me, the last delinquent, / Deems the profanest.

Man disavows, and Deity disowns me: / Hell might afford my miseries a shelter; / Therefore hell keeps her ever hungry mouths all / Bolted against me.

Hard lot! encompass'd with a thousand dangers; / Weary, faint, trembling with a thousand terrors; / I'm called, if vanquish'd, to receive a sentence / Worse than Abiram's.

Him *the vindictive rod of angry justice / Sent quick and howling to the centre headlong; /* I, *fed with judgment, in a fleshly tomb, am / Buried above ground.*]
Citado em Ryskamp, *William Cowper of the Inner Temple*, p. 109. Isso foi escrito durante seu último ano no Inner Temple.
[15] *Memoir of the Early Life*, p. 87-88. "Estranhas e horríveis trevas caíram sobre mim. Se fosse possível que um forte golpe pudesse cair sobre o cérebro, sem tocar o crânio, essa era a sensação que eu tinha. Batia com a mão na testa e gritava alto, com a dor que sentia. A cada golpe, meus pensamentos e expressões se tornavam mais descontrolados e incoerentes; claras permaneciam apenas a sensação de pecado e a expectativa de punição."
[16] *Memoir of the Early Life*, p. 90.
[17] *Memoir of the Early Life*, p. 92.
[18] *Memoir of the Early Life*, p. 93.
[19] Embora não tenhamos como ter certeza, é bem possível que essa Bíblia tenha sido aberta nessa passagem e colocada estrategicamene no caminho de Cowper pelo Dr. Cotton.
[20] *Memoir of the Early Life*, p. 97.
[21] *Memoir of the Early Life*, p. 99.
[22] Cowper a Lady Hesketh, Huntingdon, 1° de julho de 1765, in *Works of Cowper and Thomson*, p. 165.
[23] Wright, *Life of William Cowper*, p. 128.
[24] Cowper a John Newton, 27 de julho de 1783, in *Works of Cowper and Thomson*, p. 234-235.
[25] Em inglês, "Light Shining Out of Darkness":

God moves in a mysterious way / His wonders to perform; / He plants his footsteps in the sea, / And rides upon the storm.

Deep in unfathomable mines / Of never-failing skill, / He treasures up his bright designs, / And works his sovereign will.

Ye fearful saints, fresh courage take, / The clouds ye so much dread / Are big with mercy, and shall break / In blessings on your head!

Judge not the Lord by feeble sense, / But trust him for his grace: / Behind a frowning providence / He hides a smiling face.

His purposes will ripen fast, / Unfolding every hour; / The bud may have a bitter taste, / But sweet will be the flower.

Blind unbelief is sure to err, / And scan his work in vain: / God is his own interpreter, / And he will make it plain!]

[26] William Cowper a Lady Hesketh, 16 de janeiro de 1786, in *The Selected Letters of William Cowper*, ed. Mark Van Doren (Nova York: Farrar, Straus, and Young, Inc., 1951), p. 176.

[27] Newton relatou: "O Sr. Cowper ainda está nas profundezas. Às vezes tenho esperança de que sua salvação esteja próxima; outras vezes sinto-me quase sem saber o que fazer". Citado em Wright, *Life of William Cowper*, p. 212-213. John e Mary Newton e a Sra. Unwin nos lembram de que cuidar daqueles que estão deprimidos pode ser um desafio. Não é tarefa fácil, e pesa sobre os cuidadores. Newton admite que às vezes considerava a estadia inesperada e prolongada de Cowper naquelas condições "inconveniente e complicada" (citado in Wright, *Life of William Cowper*, p. 213). No entanto, todos eles cuidaram dele de bom grado e com generosidade. Eles nos fornecem um retrato da beleza que advém do sólido amor por um amigo em necessidade. Com muita oração — e verdadeiro sacrifício —, eles suportaram a carga de cuidar de alguém que lhes dava pouco em retribuição.

[28] Citado em Wright, *Life of William Cowper*, p. 213-214.

[29] Cowper a John Newton, janeiro de 1784, in *Selected Letters*, p. 129-131.

[30] Cowper, *Selected Letters*, p. 129-131. Cowper continuou a carta: "No final do próximo mês se completará um período de onze anos em que não falei nenhuma outra linguagem. É um longo tempo para um homem, cujos olhos foram certa vez abertos, passar nas trevas; longo o bastante para tornar o desespero um hábito inveterado; e é o que acontece comigo. Meus amigos, eu sei, esperam que eu volte a crer novamente. Consideram necessário para a existência da verdade divina que, aquele que uma vez a possuiu, nunca a perca definitivamente. Reconheço a solidez desse raciocínio em todos os casos, exceto o meu".

[31] Cowper, *Selected Letters*, p. 129-131.

[32] Cowper a John Newton, 19 de fevereiro de 1788, in *Selected Letters*, p. 240-241.

[33] Citado em George B. Cheever, *Lectures on the Life, Genius, and Insanity of Cowper* (Nova York: Robert Carter & Brothers, 1856), p. 329.

[34] Cowper a John Newton, 5 de fevereiro de 1790, in *Selected Letters*, p. 248-249.

[35] Wright, *Life of William Cowper*, p. 481-484.

[36] Cowper a William Unwin, 6 de abril de 1780, in *Works of Cowper and Thomson*, p. 187.

[37] Embora apaixonado por seus passatempos, Cowper mudava de uma atividade a outra com frequência. "Enquanto estou satisfeito com uma atividade", escreveu, "sou capaz de uma aplicação infatigável, porque meus sentimentos são de tipo intenso. Nunca senti *um pouco* de prazer com nada na vida; se estou satisfeito, é de modo extremo. A infeliz consequência dessa febre é que meu apego a qualquer ocupação dificilmente vai além do momento em que ela é novidade para mim". Cowper a William Unwin, 8 de maio de 1780, in *Works of Cowper and Thomson*, p. 189.

[38] Cowper a William Unwin, 10 de novembro de 1783, in *Works of Cowper and Thomson*, p. 241. Parece que William Unwin, o amigo de Cowper, também lutava ocasionalmente contra a depressão. Às vezes Cowper lhe dava conselhos nas cartas, inclusive incentivando-o a se exercitar: "Tenho observado nas suas últimas cartas certa tristeza e melancolia, e receio que você não esteja lutando suficientemente contra elas. Suspeito que esteja levando uma vida sedentária demais. 'Não se pode andar.' Por que você não pode é algo que só você pode dizer. Tenho certeza de que suas pernas são longas o bastante, e você não é pesado demais para elas. Mas rogo-lhe que ande a cavalo, e com frequência. Creio que ouvi você dizer que não consegue fazer isso sem um objetivo. Será que a saúde não é um objetivo? Tenha a certeza de que poltronas não são amigas da boa disposição, e que um longo inverno passado junto à lareira é o prelúdio para uma primavera sem saúde".

[39] "Considero a atividade constante necessária e, portanto, tomo cuidado para estar constantemente ativo. As ocupações manuais não mobilizam a mente de modo suficiente, como sei por experiência própria, tendo experimentado muitas. Mas a composição, especialmente poética, absorve-a completamente." Cowper, *Works of Cowper and Thomson*, p. 278.

[40] Cowper a Lady Hesketh, 16 de janeiro de 1786, in *Selected Letters*, p. 175.

[41] Citado em Wright, *Life of William Cowper*, p. 535.

[42] Ryskamp, *Cowper of the Inner Temple*, p. 101.
[43] Cowper a William Unwin, 18 de novembro de 1782, in *Works of Cowper and Thomson*, p. 228.
[44] Wright, *Life of William Cowper*, p. 593.
[45] Citado em Wright, *Life of William Cowper*, p. 593.
[46] Cowper, *Selected Letters*, p. 277-278.
[47] Lady Hesketh foi a primeira dos parentes de Cowper a perceber quão ruim andava a saúde tanto dele quanto da Sra. Unwin. Ela os visitou e permaneceu lá durante a maior parte de 1794, antes que eles se mudassem para a casa do primo Johnson. Durante a visita, ela escreveu a Johnson uma carta incisiva sobre as condições de Cowper: "Ele agora nada faz além de andar incessantemente para a frente e para trás, no escritório ou no quarto de dormir. Ele realmente não se senta por mais do que meia hora durante todo o dia, a não ser na hora das refeições, quando, como escrevi antes, quase não come coisa alguma. Parou de lavar os pés, não está tomando láudano e vive em um estado constante de terror que é horrível de presenciar! Ele agora começou a esperar, todos os dias, e até mesmo todas as horas, que será levado embora, e ficou em seu quarto da hora do café da manhã até cerca de quatro da tarde no domingo passado, apesar de repetidas mensagens da senhora, porque receava que alguém se apossasse de sua cama e o impedisse de se deitar nela novamente!". Carta datada de 5 de maio de 1795, citada in Wright, *Life of William Cowper*, p. 632-33.
[48] Ver Wright, *Life of William Cowper*, p. 651.
[49] Cowper a Lady Hesketh, 22 de janeiro de 1796, in *Selected Letters*, p. 298.
[50] Wright, *Life of William Cowper*, p. 648.
[51] Cowper a Lady Hesketh, 1° de junho de 1798, in *Selected Letters*, p. 301.
[52] [*I therefore purpose not, or dream, / Descanting on his fate, / To give the melancholy theme / A more enduring date: / But misery still delights to trace / Its semblance in another's case.*

No voice divine the storm allay'd, / No light propitious shone; / When, snatch'd from all effectual aid, / We perish'd, each alone: / But I beneath a rougher sea, / And whelm'd in deeper gulfs than he.]
William Cowper, *The Complete Poetical Works of William Cowper, Esq., Including the Hymns and Translations from Madame Guion, Milton, etc. With a Memoir of the Author by Rev. H. Stebbing, A.M.* (Nova York: D. Appleton & Co., 1869), p. 498-499.
[53] Cowper a William Unwin, 27 de agosto de 1785, in *Works of Cowper and Thomson*, p. 276.

[54] M. Seeley, *The Later Evangelical Fathers* (Londresn: Seeley, Jackson, & Halliday, 1879), p. 115.

5. Charles Spurgeon

[1] *The Autobiography of Charles H. Spurgeon*, ed. Susannah Spurgeon e W. J. Harrald, vol. 2, 1854-1860 (Philadelphia: American Baptist Publication Society, 1899), p. 205-206. Essa história foi dramatizada a partir do relato da autobiografia de Spurgeon.

[2] *Autobiography of Charles H. Spurgeon*, vol. 2, p. 38.

[3] *Autobiography of Charles H. Spurgeon*, vol. 2, p. 50.

[4] *Autobiography of Charles H. Spurgeon*, vol. 2, p. 44.

[5] *Autobiography of Charles H. Spurgeon*, vol. 2, p 195-196.

[6] William Williams, *Personal Reminiscences of Charles Haddon Spurgeon*, 2ª ed. (Londres: Religious Tract Society, 1895), p. 166.

[7] *Autobiography of Charles H. Spurgeon*, vol. 2, p. 192.

[8] Charles Spurgeon, "The Exaltation of Christ", in *The New Park Street Pulpit* (Pasadena, TX: Pilgrim Publications, 1981), vol. 2, p. 378. Quando Spurgeon retornou à sua congregação, em 2 de novembro de 1856, após quase um mês afastado, pregou sobre Filipenses 2.9-11, os mesmos versículos que lhe ocorreram no jardim: "Em meio a calamidades [...] a grande pergunta que [os cristãos] se fazem, e fazem aos outros também, é esta: o reino de Cristo está a salvo? [...] ele encontra suficiente consolação, em meio a toda a fragmentação que ele suporta, em pensar que o trono de Cristo continua firme e forte, e que, ainda que a terra tenha sacudido sob seus pés, Cristo permanece sobre uma rocha que jamais será movida".

[9] Eu sua autobiografia, Susannah escreveu que Spurgeon "carregou as cicatrizes daquele conflito até o dia de sua morte" (*Autobiography*, vol. 2, p. 193).

[10] *Autobiography of Charles H. Spurgeon*, vol. 2, p. 220.

[11] Eric W. Hayden, *Searchlight on Spurgeon: Spurgeon Speaks for Himself* (Pasadena, TX: Pilgrim Publications, 1973), p. 162.

[12] Charles Spurgeon, "Our Leader Through the Darkness", in *Metropolitan Tabernacle Pulpit*, vol. 59, sermão 3370, acesso em 1° de agosto de 2017, <www.spurgeongems.org/vols58-60/chs3370.pdf>.

[13] *Autobiography of Charles H. Spurgeon*, vol. 3, 1856–1878, p. 243-245. Durante essa doença em particular, ele atravessou seis semanas de "dor e fraqueza" e passou doze sábados longe do púlpito.

[14] *Autobiography of Charles H. Spurgeon*, vol. 3, p. 183.

[15] Em sua autobiografia, Spurgeon declarou: "Nesse exato instante, o Senhor Jesus está sendo traído por não poucos de seus supostos ministros. Está sendo crucificado novamente nos ataques perpétuos de ceticismo contra seu bendito evangelho; e é possível que as coisas fiquem cada vez piores". Embora não gostasse de controvérsia, sentia que estava simplesmente seguindo ordens: "A controvérsia nunca é um elemento feliz para o filho de Deus: ele preferiria estar em comunhão com seu Senhor a ser envolvido em defender a fé, ou em atacar o erro. Mas o soldado de Cristo não tem escolha diante das ordens do Mestre" (*Autobiography*, vol. 4, 1878–1892, p. 253).

[16] *Autobiography of Charles H. Spurgeon*, vol. 4, p. 255.

[17] Spurgeon a um amigo, 15 de fevereiro de 1888, in *Letters of Charles Haddon Spurgeon*, ed. Iain H. Murray (Edimburgo: Banner of Truth Trust, 1992), p. 186.

[18] *Autobiography of Charles H. Spurgeon*, vol. 4, p. 255.

[19] Ver *Autobiography of Charles H. Spurgeon*, vol. 4, p. 255. Sua esposa, Susannah, diz que era evidente a todos os que lhe eram próximos que "sua luta pela fé lhe custara a vida".

[20] Charles Spurgeon, "A Frail Leaf", in *Metropolitan Tabernacle Pulpit*, vol. 57, sermão 3269, acesso em 31 de agosto de 2017, <www.spurgeongems.org/vols55-57/chs3269.pdf>.

[21] Charles Spurgeon, *The Treasury of David* (Grand Rapids, MI: Zondervan, 1957), vol. 4, p. 3. A exposição de Spurgeon do Salmo 88 aqui parece cheia de descrições autobiográficas das trevas e profundezas da depressão.

[22] Charles Spurgeon, "The Minister's Fainting Fits", in *Lectures to My Students* (Albany, OR: Ages Digital Library, 1996), p. 180-181.

[23] Por exemplo: "Algumas pessoas obstinadas são muito boas em tratar com aspereza as pessoas nervosas e dizer: 'Elas não deveriam ficar nesse estado'. E somos suscetíveis a falar com aspereza com pessoas que estão muito deprimidas em espírito e dizer: 'Realmente, você deveria sair desse estado'. Espero que nenhum de vocês alguma vez tenha uma experiência com essa depressão de espírito como já tive; no entanto, aprendi, com isso, a tratar com carinho todos os companheiros sofredores. O Senhor tenha misericórdia deles". Charles Spurgeon, "The Saddest Cry from the Cross", in *Metropolitan Tabernacle Pulpit*, vol. 48, sermão 2803, acesso em 28 de julho de 2017, <www.spurgeongems.org/vols46-48/chs2803.pdf>.

[24] Charles Spurgeon, "A Song and a Solace", in *Metropolitan Tabernacle Pulpit*, vol. 46, sermão 2682, acesso em 28 de julho de 2017, <www.spurgeongems.org/vols46-48/chs2682.pdf>.

[25] Charles Spurgeon, "Sweet Stimulants for the Fainting Soul", in *Metropolitan Tabernacle Pulpit*, vol. 48, sermão 2798, acesso em 31 de agosto de 2017, <www.spurgeongems.org / vols46-48 / chs2798.pdf>.

[26] Spurgeon, "Minister's Fainting Fits", p. 182.

[27] Spurgeon, "Minister's Fainting Fits", p. 182.

[28] Charles Spurgeon, "Elijah Fainting", in *Metropolitan Tabernacle Pulpit*, vol. 47, sermão 2725, acesso em 31 de agosto de 2017, <www.spurgeongems.org / vols46-48 / chs2725.pdf>.

[29] Charles Spurgeon, "The Shank-Bone Sermon — or, True Believers and Their Helpers", in *Metropolitan Tabernacle Pulpit*, vol. 36, sermão 2138, acesso em 28 de julho de 2017, <www.spurgeongems.org / vols34-36 / chs2138.pdf>.

[30] Spurgeon, "Shank-Bone Sermon".

[31] Charles Spurgeon, prefácio a *Faith's Checkbook* (Chicago: Moody Press, 1993), p. ii-iii.

[32] Charles Spurgeon, "The Roaring Lion", in *Metropolitan Tabernacle Pulpit*, vol. 7, sermão 419, acesso em 31 de agosto de 2017, <www.spurgeongems.org / vols7-9 / chs419.pdf>.

[33] Spurgeon, *Faith's Checkbook*, p. 133.

[34] Spurgeon, "Elijah Fainting".

[35] Williams, *Personal Reminiscences*, p. 177.

6. Madre Teresa

[1] As palavras dessa cena são citações ou paráfrases dos verdadeiros pensamentos e orações de Madre Teresa, citados em Mother Teresa, *Come Be My Light: The Private Writings of the "Saint of Calcutta"*, ed. Brian Kolodiejchuk, M.C. (Nova York: Image, 2007). [No Brasil, *Venha, seja a minha luz: Os escritos privados da santa de Calcutá*. Rio de Janeiro: Petra Editorial, 2016.]

[2] Alguns talvez se perguntem por que Teresa de Calcutá recebe o nome de "Madre". Ela foi chamada de Madre Teresa, ou Madre Maria Teresa, pela primeira vez quando integrava a congregação das Irmãs de Loreto, onde todas as irmãs eram chamadas de "Madre". Quando deixou essa ordem para formar as Missionárias da Caridade, ela era apenas "Maria Teresa", mas então ganhou novamente o título de "Madre" quando se tornou a Madre Superiora eleita pela congregação. Ela personificava a tal ponto o amor de uma "mãe" (madre) que muitos vieram a se referir a ela simplesmente dessa forma, mesmo aqueles fora de sua congregação religiosa.

[3] Mother Teresa, *Come Be My Light*, p. 121.

[4] Na época do falecimento da Madre Teresa, em 1997, as Missionárias da Caridade afirmavam contar com aproximadamente quatro mil membros e 610 fundações em 123 países.

[5] Mother Teresa, *Come Be My Light*, p. 186-187. Isso é parte de uma oração enviada com uma carta ao padre Picachy datada de 3 de julho de 1959. Ela sentia que Deus desejava que ela revelasse tudo a ele sobre seu estado interior.

[6] Durante o processo de sua canonização, cartas particulares a alguns de seus confessores e superiores espirituais foram publicadas no livro *Come Be My Light*. Assim se revelou o verdadeiro estado da alma de Madre Teresa ao mundo — e para alguns daqueles que haviam trabalhado com ela de perto durante décadas. Se você se interessa em saber mais sobre a experiência dela, recomendo muito esse livro.

[7] Mother Teresa, *Come Be My Light*, p. 221.

[8] Mother Teresa, *Come Be My Light*, p. 226.

[9] Mother Teresa, *Come Be My Light*, p. 161.

[10] Madre Teresa ao padre Neuner, 1961, in *Come Be My Light*, p. 210-211. Ele orientou um retiro espiritual entre as Missionárias da Caridade, e ela confiava nele. Ele lhe pediu que lhe escrevesse sobre suas experiências.

[11] Mother Teresa, *Come Be My Light*, p. 210.

[12] Madre Teresa ao arcebispo Périer, setembro de 1959, in *Come Be My Light*, p. 191.

[13] Madre Teresa ao arcebispo Périer, 15 de dezembro de 1955, in *Come Be My Light*, p. 163.

[14] Madre Teresa ao padre Neuner, antes de 8 de janeiro de 1965, in *Come Be My Light*, p. 250.

[15] Madre Teresa ao padre Neuner, 12 de maio de 1962, in *Come Be My Light*, p. 232. A carta continua de forma a descrever sua entrega extrema à vontade de Deus, mesmo à custa da própria dor: "Apesar disso, essa terrível dor nunca me fez desejar que fosse diferente. Ainda mais: quero que seja assim enquanto ele assim o desejar".

[16] Mother Teresa, *Come Be My Light*, p. 214.

7. Martin Luther King Jr.

[1] Essa história é recontada in Taylor Branch, *At Canaan's Edge: America in the King Years, 1965-68* (Nova York: Simon & Schuster, 2006), p. 708, et al.

[2] *The Autobiography of Martin Luther King, Jr.*, ed. Clayborne Carson (Nova York: Warner Books, 1998), p. 58. [No Brasil, *A autobiografia de Martin Luther King Jr.* Rio de Janeiro: Zahar, 2015.]

[3] *Autobiography of Martin Luther King, Jr.*, p. 71.

[4] Ele contou à sua congregação em Dexter no ano seguinte ao boicote dos ônibus que orava frequentemente a Deus para ajudá-lo a ver a si mesmo em uma perspectiva correta. Ver o sermão "Conquering Self-Centeredness", proferido em Dexter em 11 de agosto de 1957, in *The Papers of Martin Luther King, Jr.*, vol. 4, ed. Clayborne Carson (Berkeley: University of California Press, 2000), p. 255.

[5] *King in the Wilderness*, dirigido por Peter Kunhardt (Pleasantville, NY: Kunhardt Films, 2018).

[6] Se você acha que não sabe muito sobre o movimento de direitos civis ou sobre o papel do Dr. King nele, eu o encorajaria a aprender mais sobre este importante líder e movimento. A biografia em um só volume de Stephen B. Oates, *Let the Trumpet Sound* (Nova York: Harper Perennial, 1982) é uma excelente fonte para uma visão geral do trabalho de King.

[7] Menciono a SCLC devido ao envolvimento decisivo de King, mas houve muitas outras organizações e líderes importantes durante esse período que não devem ser desconsiderados em nome de uma exaltação a King.

[8] Agradeço a Josina Guess por recomendar o livro de Terrie M. Williams, *Black Pain: It Just Looks Like We're Not Hurting*, um retrato vívido dos desafios relacionados à depressão dentro da comunidade negra. Recomendo-lhe esse livro.

[9] Ver a entrevista de Clarence Jones in *King in the Wilderness*.

[10] Em março de 1968, depois que a violência irrompeu em uma marcha em Memphis, King disse a Ralph Abernathy e Bernard Lee: "Talvez tenhamos simplesmente de admitir que o momento da violência chegou. [...] E talvez tenhamos de desistir e deixar a violência seguir seu curso". King mostrou-se otimista e confiante diante da imprensa no dia seguinte, insistindo na natureza contagiosa da não violência, mas, em particular, ele se perguntava se sua influência chegara ao fim. Ao amigo Stanley Levison ele declarou: "Sabe, o que eles querem dizer é 'Martin Luther King está morto, está acabado. [...] Sua não violência não é nada. Ninguém escuta o que ele diz.'". Branch, *At Canaan's Edge*, p. 734, 738-739.

[11] "O homem médio atinge esse ponto talvez no final dos seus quarenta ou no início dos cinquenta anos. Mas quando se chega a ele tão jovem, a vida se torna um tipo de decrescendo. [...] Alguém que chega ao auge aos 27 anos tem um trabalho duro pela frente. As pessoas vão esperar que eu tire coelhos da cartola pelo resto da vida. Se eu não fizer isso ou se não houver coelhos a serem tirados, então elas dirão que não presto para nada." Citado em *Autobiography of Martin Luther King, Jr.*, p. 106, do jornal *New York Post*, 14 de abril de 1957.

[12] Um pastor negro local de Chicago, respondendo a um repórter sobre o que sugeriria que King fizesse, declarou: "Eu sugeriria que, no que diz respeito a nossa cidade, ele desse o fora daqui". In *King in the Wilderness.*

[13] *King in the Wilderness.*

[14] Em determinado momento, J. Edgar Hoover e seus asseclas chegaram a enviar a King uma fita com gravações insinuando infidelidades conjugais junto com um bilhete sugerindo que ele cometesse suicídio e evitasse a desonra pública. Ver Oates, *Let the Trumpet Sound*, p. 331, et al.

[15] Joseph Rosenbloom, *Redemption: Martin Luther King Jr.'s Last 31 Hours* (Boston: Beacon Press, 2018), p. 82.

[16] Branch, *At Canaan's Edge*, p. 216. As pílulas pararam de funcionar em abril de 1965.

[17] Rosenbloom, *Redemption*, p. 82.

[18] *King in the Wilderness.*

[19] Talvez um dos bilhetes mais comoventes que King recebeu tenha sido o de uma jovem enquanto ele convalescia após a facada. Ela lhe escreveu simplesmente: "Fico muito feliz que o senhor não tenha espirrado". É óbvio que as palavras dela lhe ficaram na memória. Ele as citou em seu último discurso em Memphis na noite anterior a seu assassinato.

[20] Rosenbloom, *Redemption*, p. 109, 112. "Ele disse que a escolha para a humanidade não era mais entre violência e não violência. Batendo com os dedos na tribuna, declarou que a escolha, agora, era entre a não violência e a 'não existência'."

[21] Martin Luther King Jr., *I Have a Dream: Writings & Speeches That Changed the World*, ed. James M. Washington (Nova York: Harper One, 1986), p. 203.

[22] Rosenbloom, *Redemption*, p. 114.

[23] Rosenbloom, *Redemption*, p. 114.

[24] Rosenbloom, *Redemption*, p. 115.

[25] Esse biógrafo, ironicamente, observa a importância do humor e do riso como mecanismos de enfrentamento para os afro-americanos, a começar dos dias da escravidão. O humor não significava que a vida estava livre de problemas. Apenas dava à comunidade negra uma forma de encontrar esperança em meio às dificuldades. Ele inclui esta nota de rodapé: "[James Weldon] Johnson admitiria mais tarde que 'desde então aprendi que essa habilidade de rir animadamente é, em parte, a salvação do negro norte-americano [...]'. Pensadores negros como Claude McKay e W. E. B. DuBois apresentaram visões semelhantes, reconhecendo que a capacidade de rir diante da opressão foi talvez o maior presente de Deus

a seu povo". Lewis V. Baldwin, *Behind the Public Veil: The Humanness of Martin Luther King Jr.* (Minneapolis: Fortress Press, 2016), p. 261-262.

[26] *King in the Wilderness.*

[27] King afirmou: "Com essa música, uma rica herança de nossos ancestrais que tinham o vigor e a fibra moral para conseguir encontrar beleza nos fragmentos partidos da música [...], podemos articular nossos gemidos mais profundos e nossos desejos mais apaixonados — e encerrar sempre em uma nota de esperança de que Deus nos ajudará a resolver tudo. [...] Por meio dessa música, o negro é capaz de mergulhar fundo nos poços de uma situação profundamente pessimista e circunstâncias perigosas e extrair um otimismo maravilhoso, cintilante, fluido. Ele sabe que seu mundo ainda está em sombras, mas, de algum modo, encontra um raio de luz". *Autobiography of Martin Luther King, Jr.*, p. 178. Para ler mais sobre a importância e o papel dos *spirituals* dentro da comunidade negra, ver o livro de James Cone, *The Spirituals and the Blues: An Interpretation* (Nova York: Seabury Press, 1972).

[28] [*I am a poor pilgrim of sorrow / I'm traveling this wide world alone / No hope have I for tomorrow / I'm trying to make heaven my home. / Sometimes I'm tossed and driven / Sometimes I don't know where to roam. / But I've heard of a city called heaven, / And I'm trying to make it my home.*]

James Cone menciona especificamente essa canção em seu livro e explica um motivo pelo qual ela possa ter sido tão encorajadora para King: "Os brancos podem apagar a história dos negros e definir os africanos como selvagens, mas as palavras dos donos de escravos não precisam ser levadas a sério quando os oprimidos sabem que possuem uma dignidade que é garantida pelo Pai celestial, que é o supremo soberano do universo. Isso é o que o céu significa para os escravos negros. A ideia de céu fornecia meios para o povo negro afirmar sua humanidade quando outras pessoas estavam tentando defini-los como não pessoas. Possibilitava aos negros dizerem sim ao seu direito de serem livres, afirmando a promessa de Deus de liberdade de existência aos oprimidos. É o que eles querem dizer quando cantam a respeito de uma 'cidade chamada céu'". Ele conclui essa análise com a letra de "I Am a Poor Pilgrim of Sorrow". Cone, *Spirituals and the Blues*, p. 91. A letra é de domínio público.

[29] Em uma apresentação em Tóquio, Japão, em 1967, Joan Baez contou que aprendeu "Pilgrim of Sorrow" de uma garota na Igreja Batista da Rua 16 em Birmingham e mencionou especificamente as quatro meninas mortas no bombardeio ali. Durante uma introdução à canção, ela menciona todas as canções feitas no movimento, e diz: "Quando não

podemos retaliar contra a dor e a humilhação, cantar é uma das melhores coisas a fazer". Uma gravação dessa apresentação pode ser encontrada *on-line* em <www.youtube.com/watch?v=veXOWrN9cOY>.

[30] História relatada in Branch, *At Canaan's Edge*, p. 529.

[31] Devo agradecimentos ao Dr. Patrick Smith por ter compartilhado comigo esse vídeo e suas opiniões.

[32] *Autobiography of Martin Luther King, Jr.*, p. 76-78.

[33] "But If Not", sermão pronunciado na Igreja Batista de Ebenézer, 5 de novembro de 1967, acesso em 5 de julho de 2018, <https://archive.org/details/MlkButIfNot>. Vale a pena observar que King se desviou do exemplo bíblico para citar uma canção. Ele não conseguia escapar das palavras das canções de encorajamento que haviam penetrado em seu coração.

[34] *Autobiography of Martin Luther King, Jr.*, p. 184.

[35] *Autobiography of Martin Luther King, Jr.*, p. 185-186.

Conclusão

[1] Madre Teresa ao padre Neuner, 6 de março de 1962, in *Come Be My Light: The Private Writings of the "Saint of Calcutta"*, ed. Brian Kolodiejchuk, M.C. (Nova York: Image, 2007), p. 230.

[2] Charles Spurgeon, "The Single-Handed Conquest", in *Metropolitan Tabernacle Pulpit*, vol. 44, sermão 2567, acesso em 31 de agosto de 2017, <www.spurgeongems.org/sermão/chs2567.pdf>.

Compartilhe suas impressões de leitura,
mencionando o título da obra, pelo e-mail
opiniao-do-leitor@mundocristao.com.br
ou por nossas redes sociais

Esta obra foi composta com tipografia Palatino
e impressa em papel Pólen Natural 70 g/m² na gráfica Imprensa da Fé